SKARB INKACZEK

MegaGiga: tom 29
© Disney 2010. © for the Polish edition by Egmont Polska Sp. z o.o.,
Warszawa 2010, Wydawnictwo: Egmont Polska Sp. z o.o, ul. Dzielna 60,
01-029 Warszawa, tel. (0-22) 838-41-00, www.egmont.pl
Redaktor prowadzący: Artur Skura
Tłumaczenie: Jacek Drewnowski, Aleksandra Bałucka-Grimaldi
DTP: Renata Ulanowska; Korekta: Iwona Krakowiak, Joanna Romaniuk
Druk: Norhaven A/S, Dania; Produkcja: Cezary Wolski
Sprzedaż reklam: katarzyna.puchalska@egmont.pl, beata.michalak@egmont.pl.

Spis treści

Witaj, przygodo!

Myślisz, że Sknerus jest wystarczająco bogaty? Pewnie masz
rację, ale stary centuś jest innego zdania. Zrobi wszystko,
by wpompować do swojego skarbca kolejne tony złota.

Niebezpieczeństwa amazońskiej dżungli? Duchy i potwory?
Pułapki zastawione przez starożytnych Inków i Majów?
Jak takie drobiazgi mogłyby powstrzymać najdzielniejszego
kaczora na świecie? Szkoda tylko Donalda,
bo to on dostanie w kuper!
Gotowi na poszukiwania złota ukrytego przed wiekami?
Uwaga... start!

WALT DISNEY

WUJEK SKNERUS

Skarb wielkiej góry

Juhuuu! Sknerusku!

Kwa! Kaczencja!

D 96350

Poczekaj, skarbie! Chcę tylko o coś spytać.

Nieważne, o co chodzi. Odpowiedź brzmi: nie.

Nie kupię żadnego prezentu, nie przyjdę na obiad, a przede wszystkim nie mam najmniejszego zamiaru się żenić.

Hopla!

Kwak!

Chcę tylko wiedzieć, co byś chciał dostać na urodziny.

Zostały jedynie dwa tygodnie, a ja chciałabym ci dać coś szczególnego. Ale... co?

Musisz przyznać, skarbie, że z prezentami dla ciebie sprawa nie jest prosta.

GRRR!

Interesują cię tylko pieniądze... i nowe szanse na zysk. Nic więcej.

Ech! Nie cierpię urodzin, ale jeszcze bardziej prezentów. Trzeba je zwracać do sklepu, a w dodatku...

...wszyscy oczekują podziękowań. Jakbym ich o coś prosił.

Ej, wujku! Szybko! Tutaj!

Wszystko widzieliśmy i przybiegliśmy ci na pomoc.

Uff! Puff! Co?

Schowaj się tutaj.

?

Ale... ale...

9

Poczekaj, Sknerusku. Skup się.

Włączę tę maszynkę i zobaczymy, czy masz rację.

Najwyraźniej najpierw musi się rozgrzać i dostroić. Ale śmiesznie wyglądasz!

Zupełnie jak w gabinecie luster. Zaraz się dowiemy...

...czego naprawdę chcesz.

Może źle sformułowaliśmy pytanie. Spróbujmy jeszcze raz.

Czy istnieje coś niezbyt drogiego, co przynajmniej raz gorąco pragnąłeś mieć?

Hę?

Prawdę mówiąc, nie miałam na myśli czegoś takiego...

Może to i niedrogie, ale...

Wygląda jak olbrzymi zmutowany korzeń.

Cha, cha! A to dobre. Powiem wam, co to takiego.

To badanga. Ma tak obrzydliwy smak, że jest w zasadzie niejadalna.

Spróbujcie podarować mi coś takiego, a ja...

Hmm... Bardzo dziwny prezent.

Są gusta i guściki.

Niech gęś kopnie Diodaka i jego głupie wynalazki!

KOB

Chwileczkę! Bardziej ufam Diodakowi niż ty.

Dowiedzmy się, w jakich okolicznościach wasz wujek miał do czynienia z badangą.

Mógłbyś nam o tym opowiedzieć, skarbie?

Grrr! Jakbym miał wybór, przymocowany do tej machiny!

Musimy się cofnąć o wiele, wiele lat...

...do czasów, gdy byłem jeszcze młody i pragnąłem zdobyć fortunę...

Jaki przystojny!

„Dużo czasu spędzałem nad starymi księgami. Szukałem w nich wskazówek, które mogłyby mnie doprowadzić do zaginionych skarbów...".

„W pamiętniku pewnego konkwistadora z szesnastego wieku przeczytałem o Kica Pic, nieznanej twierdzy, w której Inkowie ukryli swoje skarby niedługo przed inwazją Hiszpanów".

„A kiedy się dowiedziałem, że konkwistadorzy nie zdołali znaleźć skarbu, zrozumiałem, że jestem na dobrej drodze".

SKARBY INKÓW

„Moje przypuszczenia się potwierdziły, kiedy nie znalazłem wzmianki o skarbie w żadnych innych źródłach. Uznałem, że musi ciągle tam być".

„Natychmiast wyruszyłem do Peru".

Kica Pic? To tam, na szczycie tej góry.

Wie pan, gdzie to jest?

Pewnie, wszyscy to wiemy. Tylko dla cudzoziemców to miejsce jest zaginione.

To znaczy, że ktoś już zabrał skarb?

Nie. W Kica Pic jest pełno złota i srebra.

Co ta- kiego?

Nie wiedział pan, że nasi przodkowie byli bardzo bogaci?

To znaczy, że nikt nie zabrał skarbu i on ciągle tam jest?

Tak. Nasi przodkowie byli też bardzo mądrzy.

Mnóstwo tam pułapek. Wielu weszło na szczyt, ale nikt nie wrócił.

Tylko wielki kapłan znał bezpieczne przejście. Ale nie zdążył nikomu przekazać tej tajemnicy.

Jesteśmy biednym ludem. Przydałby nam się ten skarb. To nasze jedyne dziedzictwo.

Nie... nie wiedziałem, że skarb należy do was.

Nie boję się pułapek. Na pewno zdołam do niego dotrzeć w zamian za... skromną prowizję. Powiedzmy 75 procent tego, co znajdę.

Mówiłem, że jesteśmy biedni. Jeśli wystarczy panu 25 procent...

Biorąc pod uwagę ryzyko, powinniście mi dać 60 procent.

Niech będzie 50 procent. Zgoda?

Umowa stoi.

Uczcijmy nasz pakt ulubioną potrawą inkaskich władców.

To badanga.

Dzika roślina z tych gór. Na surowo jest trująca. Trzeba ją gotować zgodnie ze starą recepturą.

Cha, cha! Spokojna głowa. Moja żona świetnie gotuje.

Ekhem... No to skosztujmy...

Tfu!

Błe! Nigdy nie miałem w dziobie większego paskudztwa.

Jak śmiesz obrażać kuchnię mojej żony?

Słyszeliście go?

Taka zniewaga nie może ujść mu na sucho.

Złamaliście umowę! Nie będziecie mnie tak traktować, jak wrócę ze skarbem.

Zostaniesz ukarany za swoje maniery i nie znajdziesz skarbu.

Tak też się stało. Skarbu nie znalazłem. Grrr!

A teraz mnie uwolnijcie! Powiedziałem, co chcieliście.

Ojoj!

Uwolnij go, Donaldzie, zanim zniszczy maszynę Diodaka.

Ale ciągle nie wiemy, co mu kupić.

Kwrrr! Zemsta!

Badanga to symbol wszystkiego, czego naprawdę chcę.

UCH!

Nie sądzę.

Właśnie, że tak! To symbol prawdziwego prezentu, którego nigdy nie dostanę.

SZRU

SZRU

Ghhh!

Skarbu z Kica Pic!

Ghhh!

Juhuuu! To znaczy, że... pojedziemy szukać skarbu!

Ej! Co to znaczy „my"?

Jadę do Peru. Sam! Jak najdalej od perfidnych kaczek i zdradzieckich krewnych.

TRZASK

Biedny wujaszek. Będzie daleko stąd, sam i bez prezentu na urodziny.

Nie, chłopcy. Mam pewien plan.

Następnego ranka...

Wszystko gotowe do startu.

Udało ci się znaleźć ładunek, żeby pokryć koszty lotu?

Oczywiście, proszę pana. Części samochodowe, maszyny rolnicze i pomarańcze.

Nie uwierzy pan, ale mamy też płacących pasażerów.

Che, che!

Witaj, Sknerusku. Soku pomarańczowego?

KWA!

Tego wieczoru na niebie nad Peru...

Kaczencja wiedziała, że nigdy nie zrezygnuję z płacącego pasażera...

...ale nie wzięła pod uwagę, że uwolnię się od niej przy pierwszej okazji.

Przenocuję w tej wiosce. Na pewno ją zgubię.

Tutaj mnie nigdy nie znajdzie.

PUK

PUK

PUK

Ciepłego mleka, najdroższy?

25

Nadszedł nowy dzień...

Ziew! Nie jest to może wygodne łóżko, ale...

...dzięki niemu szybciej uwolnię się od Kaczencji.

Nie wie, że jadę do Cuzco. A tym bardziej – że jadę tam pociągiem.

Przez dłuższy czas powinienem mieć od niej spokój.

Buenos Dias, Sknerusku. Kawy?

Dwa ciężkie dni później...

Au! Nie tak łatwo jechać przez góry na lamie. Ale wysiadłem po kryjomu z pociągu...

...i nie miałem do czynienia z Kaczencją przez przynajmniej 48 godzin. Oto i Cuzco.

Kupię sprzęt biwakowy i zupy w proszku.

ARTICULOS Y BARATOS PARA CAMPING

Dobra. Teraz mogę wypożyczyć terenówkę i pojechać do Kica Pic.

Przepraszam, skarbie...

Zmieści się tu badanga?

AAAA!

Uff! Puff! Nie możesz ciągle mnie tak straszyć.

Nic takiego by się nie stało, gdybyś zabrał mnie ze sobą. **KWRRRR!**

Dobrze, wygrałaś. I tak nie mogę cię zgubić.

Hura!

Ale przynajmniej mi wytłumacz, jakim cudem zawsze mnie znajdujesz.

O, to proste. Miłość mnie prowadzi.

Podobnie jak nadajnik, który ukryłam w twoim guziku. Che, che!

Terenówka wyjeżdża z Cuzco...

Ile zapasów! Nie wydaje ci się, że przesadziłeś?

Poszukiwania mogą długo potrwać. Nie mam zamiaru rezygnować, zanim znajdę skarb.

Po trzech dniach jazdy nasza dwójka jest już między niebosiężnymi szczytami Andów...

Kica Pic znajduje się na tej górze. Tam kończy się droga. Musimy jechać szlakiem Inków.

To pewnie wioska, o której mi opowiadałeś. Pojedźmy tam.

Hę? A po co?

Nie chcesz odwiedzić swojego starego przyjaciela, wodza?

Myślisz, że to dobry pomysł?

Jasne, że tak. Poza tym za sześć dni masz urodziny i chcę pogadać z jego żoną.

29

Wszystko wygląda jak pięćdziesiąt lat temu. To znaczy, że nikt nie znalazł skarbu.

Hej! Skądś znam tego staruszka.

Sknerus!

Wódz! Pamiętasz mnie... A naszą umowę też?

Pewnie, i to doskonale. Pamiętam jeszcze coś bardzo ważnego.

Mówiłem, żebyś trzymał się daleko stąd!

KOP

Przyjaciele zawsze o tobie pamiętają.

Grrr! Daruj sobie sarkazm i bierz plecak.

Na szczyt idzie się parę godzin. Musimy tam dotrzeć, zanim się ściemni.

Znacznie później...

Na pewno nie chcesz, żeby twój plecak był lżejszy?

Uff! Na pewno.

Nie rozumiem, dlaczego nie wynająłeś śmigłowca.

Bo kosztuje. Zresztą i tak nie da się tam dolecieć. Za mocno wieje.

Uff! No i nie chciałem, żebyś straciła te widoki. Jeszcze parę kroków...

Ojej! Lepiej sama zobacz.

Chodźmy. Przenocujemy przy pierwszym nietkniętym moście.

Rozumiem, dlaczego Inkowie wznieśli fortecę na tym szczycie.

Otaczająca go przepaść jest lepsza od każdej fosy.

Ale dlaczego zbudowali tyle mostów? Nie rozumiem.

Tylko jeden most jest prawdziwy. Pozostałe by runęły, gdyby tylko ktoś doszedł do środka.

Podobno to system obronny, który trzymał Hiszpanów z daleka.

Widzisz to? Wyobrażasz sobie, co spotkało konkwistadorów, którzy próbowali się tam dostać?

KWA!

Sądząc po tych ruinach, niejeden most się zawalił.

Przez wieki docierali tu różni poszukiwacze skarbów.

Sam sprawdziłem trzy mosty... i ciągle mogę o tym opowiadać.

Hej! Są tu badangi. I to ile!

Nawet o tym nie myśl! Spróbuj jakąś zerwać, a każę ci ją zjeść na surowo.

Wiem, że nie byłbyś dla mnie taki okrutny.

Ech!

Czy Sknerus zdoła znaleźć skarb Inków? I jaki prezent dostanie od Kaczencji? To pytanie nie daje nam spokoju...

35

38

Ech! Woda z butelek zalała wszystkie zupy w proszku.

Zaraz! Zapomniałem o twoim plecaku.

Ale ja niosłam tylko wodę. Ty wziąłeś mnóstwo jedzenia i pomyślałam, że więcej już nie potrzeba.

Dawaj. W mojej torebce nie ma nic ciekawego.

Najedzmy się... mlask... póki się da.

Przestań! O co tyle krzyku? O parę zupek?

Nie wiesz, że głód to nasz najgorszy wróg?

Poprzednim razem nie pokonała mnie pułapka z fałszywymi mostami, tylko właśnie głód.

Biedaczek. Opowiedz mi, co się stało.

Problemy zaczęły się, kiedy wódz wygonił mnie z wioski.

Dzień wcześniej skończył mi się prowiant i liczyłem na umowę z miejscowymi...

„Postanowiłem się pospieszyć i wspiąć się do Kica Pic. Liczyłem, że wystarczy mi czasu na zabranie skarbu".

„Ale dawni Inkowie okazali się sprytniejsi, niż myślałem. Mimo głodu przez parę dni próbowałem znaleźć właściwy most".

„Wszystkie były identyczne. Żaden nie miał w sobie nic, co budziłoby podejrzenia".

„Bardzo już głodny zamierzałem postawić wszystko na jedną kartę".

„Przeżyłem dwa upadki, ale kiedy trzeci most nie utrzymał mojego ciężaru..."

„...byłem już tak osłabiony, że nie zdołałem wydostać się z przepaści".

„Zebrałem w sobie resztkę sił".

„Pozostała mi już tylko nadzieja".

Jakoś dałem radę, ale przeżyłem wstrząs.

Na szczęście znalazł mnie pasterz lam i się mną zajął.

Dał ci badangę, prawda?

Nie, mleko lamy. Gdyby dał mi badangę, wcale by mi nie pomógł.

Aha. Jak chcesz, kochany.

42

Uff... Bek!

Ale to nie w twoim stylu, tak się poddawać. Dlaczego nie spróbowałeś jeszcze raz, z zapasami?

Wstydziłem się przed wodzem wioski. W końcu nie liczył na nic innego, jak tylko na moją porażkę.

Oj tam. Błędy młodości. Trzeba się było skupić tylko na skarbie... i na niczym innym.

I teraz powinienem zrobić to samo. Zwłaszcza że... uff... brzuch mam pełny.

Uch! Może nawet za bardzo.

Che, che!

Po całym dniu żołądek Sknerusa odpoczął...

Jeśli będziemy rozsądnie racjonować wodę, wystarczy na trzy albo cztery dni.

Możemy wrócić do wioski. Mają tam jedzenie.

Drugi raz nie zejdę z tej góry bez skarbu. Grrr!

Postarajmy się, żeby wody starczyło na pięć dni... aż do twoich urodzin.

Dosyć! Nie chcę dłużej o tym słyszeć.

Jesteśmy tu, żeby pracować. Jedyny prezent, jakiego chcę, to skarb, który do jutra trafi w moje ręce.

Jak chcesz, najdroższy.

Kolejne dwa upadki. Już dziesięć, odkąd tu jesteśmy.

Na razie mam z tego tylko siniaki i otarcia.

Dziób do góry. W końcu zostały tylko cztery mosty. Do rana znajdziesz ten właściwy.

Nie byłbym taki pewien. Zaczynam podejrzewać, że wszystkie są fałszywe.

Może... ech... ten prawdziwy też się zawalił... ze starości.

RUMS

Ojć! Słyszałeś? Coś spadło.

Tak. Moje morale. Nie jedliśmy od czterech dni.

RUMS

To prawda. Nie czułam w sobie takiej pustki, odkąd pierwszy raz odrzuciłeś moje oświadczyny.

Zawsze możesz wrócić do wioski.

I nie być przy tobie jutro w dniu urodzin? Nie, dziękuję.

Tak... Jutro. Dziwne, jestem taki głodny, że mogę myśleć tylko o jedzeniu.

Myślę nawet o zapiekance Donalda. To dowód mojej desperacji.

Czy byłbyś gotów skosztować badangi?

Nie! Wolałbym nawet pomyje.

Jak chcesz, najdroższy.

Wielki dzień przynosi wielkie pomysły.

Kaczencjo, pobudka! Nie zmrużyłem oka, ale wreszcie wiem, jak pokonać przepaść.

Hę?

Odkryłeś, który most jest właściwy?

Nie.

Najwyższa pora zrobić własny most.

Chcesz przerzucić lasso na drugą stronę?

Tak, ale nie stąd. Za daleko. Najlepszy kowboj nie dałby rady.

Nieźle sobie radzę z lassem. Dobiegnę do połowy tej pułapki i wtedy...

Jeśli teraz chybię... nie mam żadnego zabezpieczenia.

KLAK

JUHUUU!

TRACH

Dalej! Kto ostatni, ten zmywa.

Uff! To było trudniejsze, niż myślałem.

To dlatego, że jesteśmy głodni i słabi.

Tak, z każdą chwilą coraz bardziej. Nie traćmy więcej czasu.

Patrz w górę. Jesteśmy już przy drzwiach.

Całe szczęście. Ścieżka robi się coraz węższa.

UCH!

O nie! Pomóż mi stąd wyjść.

Grrr! Musisz bardziej uważać, jasne?

Nie zrobiłem tego specjalnie.

Uff! Puff! I co teraz?

Nie wiem. Tu może być mnóstwo innych pułapek.

Hmm... Może istnieje sposób, żeby je ominąć.

Zobacz, co rośnie w szczelinach między kamiennymi płytami.

Grrr! Badangi. I co z tego?

Gdyby pod spodem było pusto, badangi by nie rosły, bo nie mogłyby zapuścić korzeni.

Masz rację! To prawda.

Dobrze, że przez czterysta lat nie było tu inkaskich ogrodników.

Słusznie. Stracilibyśmy cenną wskazówkę.

Phi! Nie interesują mnie kwestie estetyczne. Zobacz, jaki...

KLANG

RRRRUUUMMS

Kwa! Wszystko się wali! Szybko, uciekajmy!

ŁUBU-DU

Nie!

Nie! Nie! Nieee!

Tak jak poprzednim razem. A wszystko dlatego, że niegrzecznie odniosłem się do tubylców.

Tak? A dlaczego?

Bo... muszę ci się przyznać...

Byłem taki głodny, że wziąłem badangę.

„Wódz mnie uprzedził, że jest jadalna dopiero po odpowiednim ugotowaniu. Ale wyrzucił mnie, zanim poznałem przepis".

Tamtego dnia przysiągłem sobie, że nie będę miał więcej do czynienia z tą rośliną.

Ale dzisiaj... dałbym milion dolarów, żeby zjeść jedną z nich.

W takim razie...

Dosyć! Wróć do wioski i wybłagaj coś do jedzenia.

Chlip! Zostaw mnie na jakiś czas sam na sam z moim cierpieniem.

Oczywiście, kochanie.

Chcę jeszcze jakiś czas być blisko swojego skarbu.

Posłuchać, jak opowiada o zaginionym imperium i zapomnianych królach... Chrrr!

Później...

Chrrr... Hę?

PUK PUK

Wszystkiego najlepszego z okazji urodzin!

!

Gotowana badanga? Ale... jak to zrobiłaś?

Zerwałam jedną i włożyłam do garnka.

Co? A skąd wiesz, jak przyrządzać trujące jarzyny?

Wcześniej w wiosce wymieniłam swój prowiant na tajny przepis.

Che, che! Wystarczy nie dosypywać soli i gotować przez godzinę.

Wiedziałaś, jak przygotować badangę? Przecież umieraliśmy z głodu!

!

Ech! Nie chciałeś jej jeść. Odmawiałeś. Pamiętasz?

A... Ekhem... tego...

Pewnie smak ma jak zawsze paskudny... ale przynajmniej będę miał siłę, żeby kopać.

CHRUP

!

CHRUP MLASK

CHRUP

A-ale... to jest pyszne!

Bo dodałam jeszcze to i owo. Miałam w torebce parę rzeczy.

CHRUP CHRUP

CHRUP CHRUP

A my mamy przyprawy. To nasz prezent na twoje urodziny.

Wszystkiego najlepszego, wujaszku!

Hę?

Przynieśliśmy też wodę do ugotowania badangi.

A jak... nas znaleźliście?

To proste. Wystarczyło podążać za sygnałem z nadajnika, który Kaczencja umieściła w twoim guziku. Wszystko było zaplanowane.

?

Kaczencja pokazała nam mostek linowy nad przepaścią. Sami nie dalibyśmy rady.

Co tak stoicie? Skoro już tu jesteście, łapcie się za te kamienie!

Robi się, wujaszku. Che, che!

Nie idziesz z nimi?

Nie, jestem zbyt zmęczona. Ziew!

Skoro ty tu jesteś, ja też mogę zostać.

Jak sobie chcesz.

Jeśli jesteś głodny, na ogniu gotuje się następna badanga.

!

Phi! Zjadłem tamtą tylko dlatego, że padałem z głodu. To nie oznacza, że zaczęły mi smakować.

Na urodziny chciałem skarb. Nie badangę. Jasne?

Ziew! Skoro tak mówisz, najdroższy...

Grrr! Ze wszystkich głupich jarzyn świata... badanga jest najgłupsza.

Ojć! Z tych emocji zapomniałem poprosić chłopców, żeby zostawili nam jedzenie. A jestem głodny!

Niektóre jarzyny, po odpowiednim przygotowaniu, stają się nawet jadalne.

Kaczencjo, dzięki za ten piękny prezent urodzinowy.

Proszę, Sknerusku.

KONIEC

Inkowie należeli do najbardziej rozwiniętych cywilizacji czasów prekolumbijskich.

Bez wątpienia.

Ale niewiele o nich wiadomo.

Racja. Dużo szczegółów pozostaje nieznanych.

Na przykład ich techniki budowlane to tajemnica.

Kiedy Francisco Pizarro dotarł ze swoimi konkwistadorami do Ollantaytambo...

„...myślał, że to dzieło olbrzymów. Miasto wzniesiono z ogromnych głazów".

Faktycznie, nieźli byli z nich budowniczowie.

Ich twierdze i szlaki komunikacyjne do dziś uważane są za dzieła zaawansowanej techniki.

Niektóre drogi dochodzą do wysokości czterech tysięcy metrów.

No, to już przesada.

Gdyby budowali niższe drogi, oszczędziliby sobie niepotrzebnego wysiłku.

?!

!

Ale największa tajemnica dotyczy legendarnego miasta Vilcabamba.

Chyba obiło mi się o uszy.

O ile się nie mylę, miasto było ufortyfikowane.

Tak. Ostatni Inkowie schronili się tam przed naporem Hiszpanów.

Legenda głosi, że później już nie odnaleziono tego miejsca.

!

"Pizarro szukał go wszędzie, angażując wszystkich swoich ludzi..."

...ale bez powodzenia. Mimo to nie zaprzestał poszukiwań.

"Przypuszczał, że znajdują się tam niezmierzone bogactwa".

Teraz ja i profesor Marlin postanowiliśmy podjąć poszukiwania.

Tym razem mamy duże szanse powodzenia.

WYJŚCIE

"Pewnego dnia młodzieniec zakochał się w młodej księżniczce".

Z miłości postanowił porzucić wojsko...

...i podążyć za ukochaną do tajemniczego miasta...

„...ukrytego gdzieś wśród gór".

„Tam zgromadzili się wszyscy Inkowie, którzy nie chcieli żyć pod hiszpańskim jarzmem".

Według pamiętnika trafiła tam część królewskiego skarbu.

Ta, która nie wpadła w ręce konkwistadorów.

73

Traficie w okolice miasta Cuzco.

Tam stacjonowała większość wojsk Pizarra.

Na miejscu musicie zidentyfikować autora zapisków...

...i podjąć próbę dołączenia do jego oddziału.

Przy odrobinie szczęścia będziecie mogli pójść za nim aż do legendarnego miasta.

A wtedy...

TRACH

Hę?

Uważaj z tą halabardą, Goofy.

Ekhem...

Przypomnij mi, żebym powiedział Marlinowi, co myślę o jego miękkich lądowaniach.

Możesz na mnie liczyć.

Chodź, nie traćmy czasu. Musimy iść do Cuzco.

Mam nadzieję, że profesor nie pomylił się w obliczeniach i że autor zapisków jest w mieście.

Jeśli już wyjechał, nie mamy szans go odnaleźć.

To już przedmieścia Cuzco.

Powtarzam, że nie możecie dotykać tego posągu.

Nie? Zaraz się przekonasz, czy nie możemy.

Błagam. Dla mojego ludu jest bardzo ważny.

Ma taką wartość, że dla mojego też będzie ważny.

Nie rozumiecie. Ten posąg chroni nas przed złymi duchami.

Mam już tego po uszy.

Idź stąd, bo inaczej będę musiał...

Grrr! Nie mogę na to patrzeć.

Goofy, czekaj! Nie...

Szybko wam tego nie zapomni.

Będziemy mieli to na uwadze.

Jak chcesz odnaleźć tego młodego żołnierza, skoro nawet nie wiemy, jak się nazywa?

Mamy tylko jedną możliwość.

„Sprawdzić wszystkich, którzy coś piszą".

Jaki pamiętnik? Jestem kucharzem i robię spis zapasów.

Przykro mi... to tylko lista moich długów.

Nie. Przygotowuję grafik dyżurów przy zmywaniu.

Na pociechę wam powiem, że tam nie figurujecie.

Ech!

Pod wieczór...

Nie sądziłem, że spotkamy tak wielu piszących.

Ja też nie.

Niestety, nie trafiliśmy na jedynego, na którym nam zależy.

Nie łam się. Znajdziemy go, zobaczysz.

Może tymczasem czegoś się napijemy? Zaschło mi w gardle.

Dobra. Chodźmy do tej oberży.

Tylko się pospieszmy... Czas mija i...

84

Muszę już iść. Żegnajcie, przyjaciele.

Poczekaj chwilę! Musimy...

To na nic. Zniknął.

To był on, prawda?

Tak. Teraz już nie ma wątpliwości.

Poza tym wiemy, że właśnie dziś w nocy wyruszy do Vilcabamby.

A my jesteśmy tu zamknięci.

Musimy koniecznie znaleźć sposób, żeby...

Dostaliście za swoje, co?

Sierżant Gonzales!

We własnej osobie. Che, che!

89

Widzę, że się uspokoiliście, odkąd zamknęli was w celi.

Grrr!

Taki los spotka każdego, kto stawia się sierżantowi Gonzalesowi.

Grrr! Bezczelny typ.

Policzymy się, jak stąd wyjdę.

Phi! Darujcie sobie te groźby.

Lepiej mnie szanować, bo niedługo będę bardzo bogaty.

Wczoraj przeczytałem pamiętnik tego ciamajdy Alonza.

Chcesz powiedzieć, że...

Odkryłem, że zamierza uciec z paroma innymi do ukrytego miasta.

Będę ich potajemnie śledził. Doprowadzą mnie na miejsce, nawet o tym nie wiedząc.

!

Pierwszy położę rękę na tych ogromnych bogactwach.

Co za drań!

A wam życzę miłego pobytu. Zwłaszcza że będzie dość długi.

GRRRRR!

Musimy coś zrobić.

Wiem, ale nie wyrwiemy się stąd.

I co teraz? Czy zły sierżant Gonzales naprawdę odniesie triumf? To się jeszcze okaże...

WRRRT

?!

91

Ale teraz już nic nie słyszę.

Ja też nie.

Inkowie naprawdę znali się na budowlance. Dla nas to niedobrze.

Tak. Bardzo solidna ta cela.

Niestety, nie widzę żadnej drogi ucieczki.

A tymczasem sierżant Gonzales pójdzie za uciekinierami aż do ukrytego miasta.

I nie możemy zrobić nic, żeby go powstrzymać.

Tym razem wpadliśmy jak śliwki w kompot.

A to jeszcze nie wszystko.

Jeśli nie zdążymy na umówioną godzinę do wehikułu czasu...

Ojć! Wolę o tym nie myśleć.

!

KREK
TRRR
RRRT

Znowu te dźwięki.

To pewnie jakieś zwierzę.

Tak czy owak, jeden szczegół mi tu nie pasuje.

Tylko jeden? Myślałem, że więcej.

Pomyśl. Podobno tego miasta nigdy nie odnaleziono.

Masz rację!

Czyli możliwe, że coś nie pozwoliło Hiszpanom tam dotrzeć.

Tak... ale co?

Czas płynie bardzo powoli...

...aż wtem...

Och!

KRRREEEK

Nareszcie! Otwarcie tych starych tajnych drzwi okazało się trudniejsze, niż myślałem.

?!

A-ale pan jest...

Inką, który rano próbował bronić posągu.

Tak, to ja. Tera Huascar, wielki kapłan Słońca.

!

Aha! Czyli należy pan do bardzo szanowanej rady mędrców.

Tak. Ale teraz słuchajcie. Mamy mało czasu.

Przejrzałem plany sierżanta Gonzalesa.

Potrzebuję waszej pomocy. Ukryte miasto musi pozostać tajne.

Czemu prosi pan akurat nas?

W końcu jesteśmy konkwistadorami.

Umiem poznać, komu można ufać.

Macie szlachetne serca. Pokazaliście to, stając w mojej obronie.

Poza tym nie ufam swoim ludziom. Wielu uległo już Hiszpanom.

97

99

To ty, wielki kapłanie? Z dwoma Hiszpanami?

To przyjaciele. Później wam wyjaśnię.

Powiedzcie: przechodziła już tędy ostatnia grupa z księżniczką i młodym cudzoziemcem?

Tak, bardzo niedawno.

A za nimi szedł ktoś jeszcze?

Ruszyli już do Vilcabamby.

Nie. Nikt się nie pojawił.

Dobrze. Czyli zdążyliśmy na czas.

Chodźcie do wielkiego obserwatorium.

102

Chyba nam się udało.

Tak. Maskarada zdała egzamin.

Sierżant zgrywał twardziela, ale okazał się tchórzem.

Myślę, że już nie da nam się we znaki.

Dzięki wam tajemnica Vilcabamby jest bezpieczna.

Jeśli chcecie, możecie ją zobaczyć. Zasłużyliście.

A zatem po przejściu ostatniej części szlaku...

Jesteśmy na miejscu. Przed nami ukryte miasto.

Ale... nic nie widzę... oprócz tej dziwnej mgły.

Che, che! Tak naprawdę to opary z ogromnego lodowca.

Wystarczy przejść jeszcze kilka kroków...

...i oto przed nami Vilcabamba.

Niełatwo tu trafić. Widać ją tylko z bardzo bliska...

...albo z jednego konkretnego miejsca.

Dlatego jej nie znaleziono.

106

Dzięki wam, dzielni wojownicy, ostatni sekret mojego ludu jest bezpieczny.

Niedługo wszystkie wejścia zostaną zamknięte.

A prowadzące tu szlaki będą zniszczone.

Tylko w ten sposób Vilcabamba będzie bezpieczna.

Chcecie zostać z nami?

Nie, wielki wodzu. Nasze miejsce jest w innej epo... ekhem... gdzie indziej.

Jak chcecie. Wiemy, że dochowacie tajemnicy.

Przynajmniej do naszych czasów.

107

Idźcie już. Nasi wojownicy was odeskortują.

Całe szczęście, że zdążymy.

Prawie pięćset lat później...

Jak zwykle musimy wam pogratulować.

Misja zakończyła się pełnym sukcesem.

Twój sygnał bez trudu dotarł do celu.

Dzięki tym współrzędnym dotrzemy wreszcie do legendarnego miasta.

Idźcie odpocząć.

Niedługo ruszamy.

Kilka dni później w Andach...

WUT WUT WUT

Powinniśmy być już blisko.

Oto i nasze współrzędne.

Pozostałości ukrytego miasta powinny być gdzieś pod nami.

Nic nie widzę.

To przez mgłę. Z góry nic nie widać.

Gdzieś tutaj wznosiła się Vilcabamba.

Ale... nic tu nie ma.

Nie został kamień na kamieniu.

Nic nie wskazuje na to, że ktoś tu kiedyś mieszkał.

A przecież namiary się zgadzają. Chyba że... o nie!

Coś nie tak?

Kiedy projektowałem lokalizator, zapomniałem o czymś ważnym.

Tak. A o czym?

111

112

WUJEK SKNERUS

Dar bilokacji

Muszę się pospieszyć... i to bardzo!

Prysznic...

...zęby...

...baczki...

Jestem gotowy!

Pospiesz się, wujku Sknerusie!

Masz ośmiosekundowe spóźnienie!

Nadrobię to po drodze!

116

Trzeci etap?

Położenie kamienia węgielnego pod nowy wieżowiec!

SKNE-RUS! SKNE-RUS!

Przecięcie wstęgi na dworcu kolejowym!

Ech!

Przemówienie do społeczności miliarderów!

Jej!

Wizyta w Muzeum Majów!

Hę?

Majów? A co mnie obchodzą te starocie?

To dla poprawy stosunków z meksykańskimi przemysłowcami!

118

119

Jasne! Nie widzicie wytatuowanego na moim czole słońca?

Nazywam się Timozin i jestem ostatnim prawdziwym potomkiem tego wspaniałego wygasającego rodu!

Prawdę mówiąc, gdzieś powinien być jeszcze mój brat Motizin...

Niestety, nie widzieliśmy się od przynajmniej trzydziestu lat!

Ale skoro ty jesteś ostatni... to kim oni są?

Fałszywi Majowie zaangażowani przez organizatorów i przebrani!

120

Szybko, wujku! Skończył się nasz czas!

Oj!

Za dwadzieścia minut musimy być w Miasteczku Bingo na inauguracji...

Dosyć!

Mam dość biegania tam i z powrotem jak z piórkiem!

Ale sam nam zleciłeś to zadanie!

Płacisz nam za przypominanie ci o twoich planach!

Wiem! Ale przydałby mi się chyba dar bilokacji, którego nie mam!

Pewnie pan tego nie wie, ale Majowie jako jedyni go mieli!

Hę?

O czym ty mówisz, Timozinie?

O słynnej magicznej koronie!

Ten, kto włożył ją na głowę, mógł natychmiast przemieścić się z jednego miejsca na drugie!

Fantastycznie!

Właśnie coś takiego by mi się przydało! Co się stało z tą koroną?

Nikt tego nie wie!

Legenda głosi, że została pochowana w jednej z gór jeziora Quezalhuma!

Jedźmy tam natychmiast! Nie ma czasu do stracenia!

Proszę zaczekać...

...Chciałem panu powiedzieć...

Milczeć! Odmówię wszystkie spotkania tylko po to, aby poświęcić się poszukiwaniom!

Ale...

Dość, Timozin! Koniec dyskusji!

W międzyczasie...

Mój pech jest naprawdę nieziemski!

Po latach poszukiwań udało mi się odnaleźć klucz otwierający świętą górę...

...lecz nie wiem, gdzie jest zamek!

Hej! Silnik samolotu!

WRRRUUM

Muszę to sprawdzić! Nie chcę, żeby się tu kręcili jacyś wścibscy turyści!

Niedaleko...

Dotarliśmy, chłopaki! Już czuję koronę na głowie!

My nie jesteśmy aż takimi optymistami!

Te góry są z granitowych skał...

...wspinaczka nie będzie łatwa!

Nie znamy sekretu broniącego kryjówki...

...więc miną lata, nim znajdziemy koronę!

Może nie warto! Radziłbym wam...

Milczeć!

Ale... chciałem powiedzieć...

Dosyć! Ja tu podejmuję decyzje, jasne?

Za mną! Przeczeszemy okolicę! Znajdziemy jakąś wskazówkę!

ECH!

Wszystko jasne! Oni też szukają magicznej korony!

Muszę natychmiast wyeliminować tę groźną konkurencję!

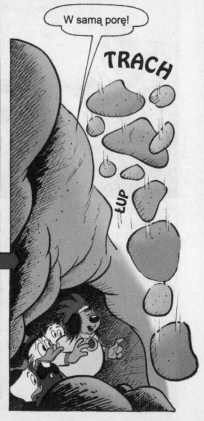

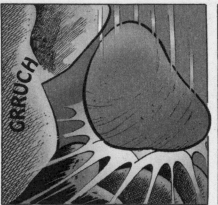

Wracajmy do samolotu! Na dzisiaj mam dosyć!

Chwileczkę! Spójrzcie!

Jej!

To zamek!

Lawina odkryła wejście do świętej góry!

Hura! Znaleźliśmy ją!

Jupi!

Spokojnie, przyjaciele!

Do wejścia potrzeba pewnego przyrządu!

Jakiego?

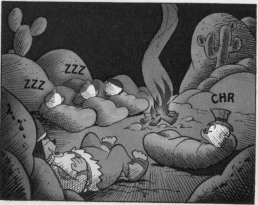

130

131

Nie mogę jednak ryzykować, że mi ukradną koronę! Muszę coś wymyślić!

Hm... tak! Już wiem!

Zamknę drzwi, zostawiając klucz w dziurce! A potem... Chi! Chi! Chi!

ZGRZYT

Nieco później...

Wstawać, chłopaki! Pora wracać do pracy!

KWAK!

JEJ!

135

138

139

Dusiciel!

Przecież nie wiedziałem, że chodziło o mojego brata i jego przyjaciół!

Proszę was o wybaczenie!

Ja natomiast proszę was o tę koronę!

Po takich trudach i niebezpieczeństwach prawnie mi się należy!

Być może, choć na nic się panu nie przyda!

A to dlaczego? Na tobie świetnie zadziałała!

Oczywiście! Ale ja jestem Majem!

Tylko my możemy jej używać! Na głowie innych jest nic niewarta!

HYYY?

I mówisz mi to dopiero teraz?

Próbowałem to panu powiedzieć, ale ciągle mnie pan uciszał!

McKwacz nigdy się nie poddaje!

Cha! Cha! Cha!

W sumie wujek nie potrzebuje tej korony!

Też tak myślę!

Sądząc po prędkości, z jaką teraz biega, już ma dar bilokacji!

Cha! Cha! Cha!

Che! Che!

PUFF

PUFF

PUFF

KONIEC

142

INDIANA

GOOFS

Zakręcony bez pamięci

Któż to błądzi w świątyni Azteków, ukrytej w gęstej, tropikalnej puszczy, jeśli nie...

Indiana Goofs!

J-2110-4

143

145

Po chwili...

Bezpieczniej będzie z lassem przywiązanym do pierścienia!

Nie bój się, Miki! Tu na zewnątrz nic nam nie grozi!

Jesteś pewien, Indiana?

Na stówę! Ciągnij, już się rusza!

FRRR

Hura! Tajemne przejście!

Otwarliśmy je i nic się nie stało!

Uwaga!

ŁUBU-DU

A to natomiast jest odkrycie stulecia! Autentyczny Aztek!

Nie wierzę własnym oczom! Skąd on się tu wziął?

Z tajemnego przejścia, które odkryliśmy!

Tam był uwięziony przez ponad pięć wieków! Logiczne, prawda?

Hola! Come va? Habla espanol... Lokalny dialekt?

Nie rozumie cię, Indiana! I wygląda na to, że sam nie umie się porozumieć!

Chyba chce nam przekazać gestami, że stracił nie tylko mowę, ale też pamięć!

Cóż, jest najwyraźniej w szoku po przebudzeniu! Ciekawe, jak ty byś się czuł po przespaniu połowy tysiąclecia!

Daj spokój! Twoja teoria jest absurdalna! Naprawdę wydaje ci się, że ma pięćset lat?

Muszę przyznać, że dobrze się trzyma! A poza tym...

...o Aztekach niewiele wiadomo, oprócz tego, że mieli dziwnie podejście do kwestii nauki...

...a ja bym jeszcze dodał, że do magii!

151

To dlatego nasz przyjaciel spał przez tyle lat, dopóki upadek świątyni go nie obudził!

Co to za kapryszenie?

Leżałeś tam przez pięćset lat, a teraz nie możesz wytrzymać pięciu minut?

Dlaczego nie pogodzisz się z wersją, że nasz przyjaciel bez pamięci nie jest starożytnym Aztekiem, lecz kimś z naszych czasów?

Jasne, na pewno turystą, który postanowił zrobić sobie piknik w zagubionej świątyni!

Potem zamknął się w tajemnym przejściu i...

Tu właśnie się mylisz!

Nie był pod ziemią, lecz w pobliżu świątyni! Przyciągnął go tu hałas walących się murów!

Fantastycznie! To by znaczyło, że w okolicy zachowała się nietknięta zębem czasów wioska Azteków!

Ta hipoteza fascynuje mnie jeszcze bardziej od poprzedniej i jak tylko on odzyska pamięć...

Nie tak prędko! Zanim znaleźliśmy świątynię, obeszliśmy całą okolicę. Gdyby tu była wioska, na pewno byśmy ją zauważyli!

Dosyć tych nieprawdopodobnych teorii...

...i pamiętaj o zasadzie dobrego detektywa: najbardziej logiczne rozwiązania to te najprostsze!

154

Poza tym od czasu zabawy nie brakowało nikogo na apelu!

Ani tym bardziej wśród tancerzy, którzy następnego dnia odnieśli mi kostiumy!

Oto one! Piękne, prawda?

Tak! Idealna rekonstrukcja historyczna!

Hm... szczerze mówiąc, to nie my je wykonaliśmy!

Podarował nam je reżyser Spolberg, gdy trzy miesiące temu kręcił tutaj „Ostatniego konkwistadora"!

Czyli całkiem niedawno aż się tu roiło od aktorów przebranych za Azteków!

Indiana, jestem przekonany, że wkrótce nasza zagadka się wyjaśni!

Jej!

Lecz...

Nie, nie zgubiliśmy żadnego aktora ani statysty w czasie kręcenia filmu!

I mogę to stwierdzić z całą pewnością, bo mam ich wszystkich przed sobą na planie „Ostatniego Siuksa"!

JUHUUU!

HĘ?

ŚWIST

Może to i realistyczny film, ale chyba trochę przesadzacie, co?

W ten sposób...

No i co, panie detektywie, nadal słuchamy głosu rozsądku?

Posłuchaj motta archeologa przygód: dla niewyjaśnionych zdarzeń niemożliwe wyjaśnienia!

Rety! Nasz człowiek zniknął!

Nie, zobacz! Stoi przed gospodą!

GOSPODA TRZY GWIAZDY

No co ty, odpuść sobie hotele! Dziś w nocy będziesz spał z nami w namiocie!

Jestem pewien, że wyjaśnienie tej tajemnicy znajduje się niedaleko świątyni!

159

Ponieważ codziennie pije z mitycznego źródła młodości!

Wyciągnijcie mnie, jak będę o dwadzieścia lat młodszy! Juhuuu!

Ale po dwudziestu kichnięciach...

Ta zimna woda nie jest źródłem młodości, lecz kataru!

A psik!

Marz radzję, Miki, ale te balzamiczne inhalacje anyżkowe wkródce mnie uzdrowią!

Możesz się leczyć bez pośpiechu, bo wygląda na to, że się zgubiliśmy!

Zgubić? To słowo nie istnieje w słowniku Indiany Goofsa!

To tylko potwierdza moją teorię! Jak sam dobrze wiesz, Aztekowie byli znakomitymi astronomami!

Czyli on właśnie jest starożytnym Aztekiem!

Albo współczesnym uczonym!

Nie dajesz za wygraną, co?

Nie, po prostu przypomniałem sobie pewną informację z gazet!

W Meksyku znajduje się uniwersytet, w którym studenci i profesorowie, aby lepiej poznać zwyczaje dawnych ludów...

...przebierają się i żyją tak, jak oni w rejonach, które dawno temu zamieszkiwali!

On na pewno jest studentem tego kierunku albo młodym doktorem archeologii, albo...

W moim pogubionym umyśle to była jedyna rzecz, jaką pamiętałem z międzygwiezdnej podróży!

Trzeba wam wiedzieć, że podróże gwiezdno-czasowe są bardzo modne tego roku! I tak, gdy zobaczyłem na astro-ekranie...

„...życie na waszej planecie, postanowiłem spędzić tu wakacje pośród fascynującego ludu Azteków!".

„Podróż kosmiczna znakomicie się udała..."

„...lecz w momencie lądowania..."

Nie mogę wyhamować!

166

Podczas zderzenia, które zniszczyło świątynię, wypadłem ze statku...

...a upadając na ziemię, uderzyłem się w głowę i całkiem straciłem pamięć!

Wtedy spotkałeś nas!

A my widząc cię tak ubranym, wzięliśmy cię za Azteka!

Cóż... musiałem się przebrać, jeśli chciałem żyć wśród nich!

À propos, dlaczego wy wszyscy jesteście inaczej ubrani?

Jeśli wyglądasz tak, żeby się wtopić w tłum, to trochę się przeliczyłeś...

...ponieważ Aztekowie zniknęli prawie pięć wieków temu!

Jak to możliwe? Widziałem ich na astroekranie kilka dni temu...

Najwyraźniej podczas podróży kosmicznej twoim statkiem minęło kilka dni galaksjańskich...

...gdy tymczasem u nas upłynęło ponad pięćset lat ziemskiej historii!

Następnego ranka w ruinach świątyni...

Teraz sprawię, że statek się ukaże!

ZZZYYYT

Rety!

Aby uniknąć niepotrzebnych zakłóceń, wszystkie nasze statki są wyposażone w niewidzialną sterowaną barierę!

To dlatego niczego nie zauważyliśmy!

Powinienem zainstalować taką zabawkę w gufibii, wtedy ten sęp Kranz nie mógłby za mną łazić!

Cóż... tym razem akurat powinieneś być mu wdzięczny! W końcu rozwiązałeś zagadkę, myśląc o nim!

Gdybym nie zdjął peruki... hej, już chcesz odlecieć?

A wakacje na Ziemi?

Zostań z nami, będziemy twoimi przewodnikami! Tu są tysiące rzeczy do obejrzenia!

Matelaksie, mój boski władco, możesz wyjść!

Wreszcie ci natręci się wynieśli!

Kiedy pięćset lat temu podałeś mi lekarstwo na długi sen, liczyliśmy, że obudzimy się w lepszym świecie!

Ale szczerze mówiąc, nie wiem, co jest lepsze – czy konkwistadorzy, czy ci kłótliwi burzyciele świątyń, najwyższy kapłanie Kamomiksilu!

Zgadzam się z tobą, Matelaksie, i proponuję kolejne pięćset lat letargu!

Ziew... przyjmuję propozycję!

No to dobranoc!

KONIEC

WALT DISNEY
MYSZKA MIKI
Zaśnij, to cię okradną

Jesteśmy w Gwatemali, kraju dawnych cywilizacji i współczesnych turystów. Miki i Minnie przyjechali na wakacje. Zwiedzają zabytki Majów nieświadomi, że zaczyna się dla nich nowa przygoda...

Ta wspaniała piramida stała pośrodku miasta.

M-1351

Uff, jak gorąco! Zatrzymaj się na chwilę, Miki.

Masz rację.

Schowajmy się w cieniu.

Scenariusz: Osvaldo Pavese, rysunki: Luciano Gatto

173

Cofnijmy się o chwilę...

177

SEO

A nie mówiłem?
Ciągle tu jest.

Od razu chodźmy
do dyrektora
muzuem.

To profesor Tabasco.
Wie wszystko o pirami-
dach Majów.

**Miki opowiedział o zniknięciu
Minnie...**

Hmm... Tajne
przejścia? Niech
pomyślę.

Tylko proszę myśleć
szybko.

Hmm... Trzeba by zajrzeć
do książek Pabla
di Letanta.

No to
zajrzyjmy.

I kontrasygnata komisarza policji.

Już. Mamy wszystkie pieczątki.

Dobrze.

Ale brakuje jeszcze podpisu dyrektora muzeum.

Przecież to pan jest dyrektorem.

A, faktycznie. W takim razie nie potrzebowaliśmy tych wszystkich stempelków.

W końcu profesor Tabasco zaczyna przeglądać słynne książki Pabla di Letanta...

Ile to potrwa?

Nie wiem, señor. Może tymczasem zwiedzi pan muzeum?

Znajdują się tu największe skarby Majów.

Tymczasem w piramidzie...

To złoto będzie nasze. Che, che!

Czyli szykują skok na Museo Nacional?

Zgadza się.

Niestety, ja im pomogę.

Pan? Jak to?

Wszystko zaczęło się kilka lat temu, kiedy trafiłem w te strony podczas wyprawy naukowej...

Przypadkiem odkryłem tajny tunel wiodący do wnętrza piramidy...

TRRRR

181

Właśnie. I teraz profesorek nam służy. Che, che!

Idziemy, jajogłowy. Dzisiaj wkraczamy do akcji.

Co jest w tej piłce, profesorze?

Mój najnowszy wynalazek: morfeo. Ma ogromną moc.

Może wytworzyć wokół siebie przestrzeń hibernacyjną.

Wszyscy śpią jak susły. Che, che!

W przyszłości urządzenie pozwoli astronautom zapaść w sen i lecieć do odległych galaktyk.

Na razie wystarczy nam, żeby w sen
zapadli strażnicy z muzeum.
Cha, cha!

Cha, cha, cha!

CHA,
CHA,
CHA!

Dobra, profesorku.
Wysyłamy morfea
do budynku.

Poczekamy, aż zacznie działać,
a potem weźmiemy się
do roboty.

Te hełmy ochronią nas przed skutkami
działania piłki.

A ty pilnuj, żeby wszystko
poszło gładko.

Nie ma
obaw,
szefie.

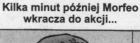

**Kilka minut później Morfeo
wkracza do akcji...**

ZIUT

MORFEO

184

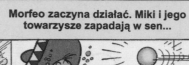

Morfeo zaczyna działać. Miki i jego towarzysze zapadają w sen...

WIIIRRR

...razem z muzealnymi strażnikami...

WIIIRRR

Dobra! Już!

BONG

Akurat pora zamykać muzeum. Che, che!

Kilka minut później...

Co to? Złoto! W życiu tyle nie widziałem.

CHRRR

Szefie! Zobacz.

Ale fart. Teraz nie stanie nam już na drodze.

Tymczasem...

Muszę jakoś zatrzymać tę dwójkę.

Może bym przygotowała pyszną kolacyjkę? Co pan na to?

Dobra myśl.

Dziś wieczorem będzie co świętować. Che, che!

Chyba mam przepis, który będzie jak znalazł.

189

190

Szybko! Otwórz przejazd.

Che, che! Teraz zamknę. Ale się zdziwią.

Niebawem...

Hej! Gdzie się podziała furgonetka?

Ślady opon.

Kończą się tutaj.

Tak. Widocznie jest tu tajne przejście.

Te łotry na pewno uwięziły Minnie.

193

194

Kilka godzin później...

Bandę Karczycha mamy z głowy.

Skarb Majów wrócił do muzeum.

Jesteście bardzo dzielni. Pan i ta señorita.

Należy wam się także nagroda pieniężna.

Super. Mogę dostać 37.546 pesos?

Oczywiście. Ale dlaczego akurat tyle?

Bo tyle wyniósł rachunek za taksówkę.

KONIEC

WALT DISNEY

WUJEK SKNERUS

Drzewko nieszczęścia

Ech! W tym domu nie można spokojnie zjeść kanapki.

DZYŃ DZYŃ

Kwa... kwa... kwaaak!

Później...

A dokąd się wybieramy?

Do Wielkiego Gaduły.

To indiański mówca o potężnych strunach głosowych.

Chcesz go zatrudnić?

Nie.

GRRUCH

Pragnę tylko wysłuchać jego donośnej i ważnej wiadomości.

Słyszycie? Grzmi.

Nie. To Wielki Gaduła przemawia do tłumu.

A to ci dopiero!

Warto nadstawiać karku dla tej wiadomości?

Tak.

Jest bardzo cenna. Tyle że ciężko ją zinterpretować.

Dotąd nikomu się nie udało. A ja zamierzam położyć rękę na tym, o czym mówi.

Kwa! Pochód chorych.

Chyba mają kłopoty ze słuchem.

Jedziemy. Nie chcę, żeby ktoś odcyfrował wiadomość przede mną.

Hej! Gdzie znajdę Wielkiego Gadułę?

Co pan taki niewychowany? Do pana mówię!

Szukam Wielkiego Gaduły! Wielkiego Gaduły, rozumie pan?

Nie rozumie. Jak wszyscy z plemienia Wielkiego Gaduły jest głuchy jak pień.

202

Wlot jaskini zniekształca słowa.

Wujaszek zwariował.

Chce dokładnie usłyszeć, co krzyczy Wielki Gaduła.

ŻYYYY

GRRRUU RRRR GUZZZ

Udało się.

Dalej, dalej.

GTYZZYY

Po jakimś czasie...

Mam nadzieję, że nie narażałem kupra na próżno.

ZUM

Rety! Wiadomość mówi jasno.

Azteckie drzewko istnieje.

sssss

Hura! Wezwij rodzinkę.

Hę?

Tymczasem każę przygotować specjalny środek transportu.

No i świetnie. Ale po co nas wezwałeś?

Jesteśmy rodziną, nie?

Musimy sobie pomagać. Więc pomożecie mi znaleźć drzewko.

Sprzeciw?

Bardzo wiele.

Wszystkie odrzucam.

Kolejny sprzeciw. Nie jesteś sędzią.

Nie jestem, ale mogę napisać pozew.

Szykuj się do wyjazdu albo czeka cię proces o zwrot długów.

209

Takim kursem nigdy nie dotrzemy na dawne ziemie Azteków.

FRUSZ

Racja.

BRRR

Nie lecimy tam, skąd pochodzi drzewko. Według wiadomości jego ostatni właściciel...

...konkwistador Don Pablo La Cucaracha, wyrwał je z korzeniami i przywiózł w te góry.

Postanowił ukryć skarb. Jeszcze nikt nie znalazł drzewka.

Ale my znajdziemy.

Już noc. Zatrzymamy się tutaj.

Gotujcie, gotujcie. Poukładam bagaże.

Nie widzieli.

Trochę się zmęczyłem. Pójdę spać.

Wujaszek włożył nam do plecaków nadajniki.

Chce śledzić każdy nasz krok.

211

Ale po co?

Poczytajmy o celach naszej wyprawy.

Aha, rozumiem. Nie chce, żebyśmy pierwsi dotknęli drzewka.

Tylko ten, kto dotknie go pierwszy, zostaje jego właścicielem i beneficjentem.

Tak mówiło azteckie prawo, które w wypadku drzewka ciągle działa.

Mógł nam to powiedzieć.

Nie ufa nam.

A zwłaszcza wujkowi Donaldowi.

CHRRR

CHRRR

Następnego dnia... Każdy pójdzie inną drogą. Jak coś znajdziecie, od razu dawajcie znać. Zero własnej inicjatywy, zrozumiano?

Tak.

Stary cwaniak. On sobie przejdzie dwa kilometry po płaskim.

Mam nadzieję, że nie skręcę tu karku.

Bliżej ściany!

Nie bój się, wujku. Jesteśmy Młodymi Skautami.

Tymczasem dwa tysiące metrów niżej...

Hmm... Mam złe przeczucia.

Jejku!

Nie. Raczej nie wejdę w tę paszczę.

Nic nie widziałem, nic nie słyszałem.

A niech mnie! Wszystkie drogi nie prowadzą do Rzymu.

223

226

Jesteście agrotechnikami czy nie?

Tak, szefie.

No to postarajcie się, żeby to drzewo natychmiast zaczęło owocować.

Roślinka odzyskała zdrowie. Lada chwila zacznę zbierać owoce.

Ja też. Che, che!

Ale... to nie są złote owoce.

Wyglądają na oficjalne dokumenty.

No jasne. To azteckie listy kredytowe.

Prawo pozwala mi je zrealizować u potomków tego dawnego ludu.

SIO!

Osoby prawne i fizyczne... Wszyscy muszą płacić.

Później...

O ile rozumiem, chce pan zrealizować te dokumenty.

Wszystko według prawa.

Znam ten język. To hiszpański, a nie aztecki.

Pomylił się pan. To wcale nie są listy kredytowe.

Co?

Zostawmy to, Wysoki Sądzie. Wezmę te papiery i pójdę.

Niemożliwe. Machina prawna już ruszyła.

Kwak!

Jak mówiłem, to nle są listy kredytowe, tylko weksle.

Don Pablo La Cucaracha zaciągnął masę długów. Jako gwarancję wykorzystywał cudowne drzewko.

Na skutek tych gwarancji wyczerpała się złotonośna moc drzewka, które przestało owocować.

Złotych owoców nie będzie, dopóki wszystkie długi nie zostaną spłacone. A później trzeba będzie zebrać dwa tysiące owoców, żeby wyrównać straty.

Zemdlał.

Później... Wujaszek powinien był nas posłuchać.

Jednak z tej tabliczki niewiele wynikało.

Pójście do sądu to był najgorszy błąd.

Katastrofa.

A, właśnie. Musimy dokądś wysłać wujka Donalda.

Czemu?

Bo wujaszek Sknerus zażąda od niego spłaty części długów.

M-muszę wyjechać?

Zażądałeś części owoców, prawda? Los spłatał ci figla.

Mogłem się tego spodziewać.

A zatem...

Możecie się posunąć? Chcę zapaść z wami w sen zimowy.

WRRAU

KONIEC

Słyszałem. Nie jestem głuchy. Huragan.

Masz ci los! Jeśli spadnie grad, żegnajcie, tulipany.

Tulipany?

Tak. Posadziłem je w ogródku. To moje oczko w głowie.

Osłaniam je przed słońcem.

Mam też dla nich osłonę przeciwlotniczą.

Hmm... Czyli co?

BZZZYT

WUUUUUCH

TRRRZ

ZUUUM

ZUUUM

UCH...

UCH...

Ech! Ty i te twoje wynalazki.

O! Już nie pada.

Za to zrobiło się zimno. Zupełnie jakby już przyszła zima.

Hmm...

241

244

Dziwne. Materiał parasola odbija kule.

To dobry parasol. Przed-wojenny.

Facet już nie strzela.

Widocznie skończyły mu się naboje.

Pokażcie się, szpiedzy!

Szpiedzy?

Proszę podejść. I bez numerów. To bardzo twardy parasol.

Powiedzmy sobie jasno: nie jesteśmy szpiegami.

Hmm... Co tu robicie?

Po pierwsze... gdzie jesteśmy?

Hę? Chcecie powiedzieć, że nie wiecie?

246

Dobra, będę udawał głupiego.

Przepraszam, że przywitałem was strzałami, ale miałem swoje powody.

Jakie?

Chodźcie. Po drodze wam wyjaśnię.

Hmm... Idziemy?

Czemu nie? Jemu zabrakło nabojów, a ja mam rewolwer ciężki jak ołów.

Słuchamy, panie...

Jestem... ekhem... profesor Marimba Nespola, dyrektor Muzeum Inków...

Słyszeliście kiedyś o studni Inków?

Tak. Legenda głosi, że znajduje się w niej wspaniały skarb.

Według moich obliczeń studnia powinna być w tych podziemiach...

Aha! Nie myliłem się.

Jest i studnia.

Nie widać dna.

O rajuśku! Ciemno jak w worku.

Spróbuję zrzucić pochodnię i ją oświetlić.

Dobry pomysł.

Co tam widać?

Na razie nic. Studnia musi mieć ze sto metrów głębokości.

252

O rajuśku! Jak się tam wspiąć?

Che, che! Zapomniałeś o patentach swojego przodka?

Skoro ten materiał okazał się kuloodporny, na pewno utrzyma nasz ciężar.

Potnę go na pasy, a ty związuj je ze sobą.

Dobra.

A teraz?

Mamy długą i mocną linę, z której zrobię lasso.

Rzucę je na ten występ skalny i możemy wchodzić.

Aha.

Jak już wejdziemy, rzucimy lasso wyżej...

Trafiony! Dalej, Goofy! Twoja kolej.

HA!

PLASK

JAU!

Drugie trafienie.

Au! Dosyć! Poddaję się.

PLASK

Lepiej mu nie ufać. Zwiążmy go.

Tfu! Uch!

I tak...

Teraz przejedziemy się do miasta. Powinien pan to i owo wyjaśnić policji.

Grrr!

Szybko! Idziemy.

Daleko do miasta?

Sto kilometrów. To po drugiej stronie jeziora.

Jazda!

Ale rzęch! Słyszysz, jak stuka i brzęczy?

Ważne, żeby silnik wytrzymał.

BRZĘK

BRZĘK

Później, w komisariacie...

Oskarżam profesora Marimbę o próbę zabójstwa.

Niech no na niego spojrzę.

Hej! To nie profesor.

Nie? A kto taki?

260

To kustosz muzeum, który zniknął wczoraj razem ze skarbem Inków.

Chwileczkę. Z jakim skarbem?

Che, che! Gryzoń nic nie rozumie.

Ze skarbem znalezionym 10 lat temu w studni Inków. Przechowywano go w muzum.

Aha... Zaczynam kumać...

Czyli nie szukałeś skarbu, tylko chciałeś ukryć skarb skradziony z muzeum.

Che, che! Zgadza się.

Zaraz wydam rozkaz, żeby patrol pojechał do...

Chwileczkę, panie sierżancie. Może nie ma potrzeby.

Goofy, pamiętasz te brzęki w samochodzie?

Owszem. Ta terenówka to straszny gruchot.

Mylisz się. To nie była kwestia zdezelowanego wozu.

Oto skarb Inków.

Geniusz z pana.

Che, che! Geniusz od razu by zrozumiał, że skarb jest w samochodzie. Kustosz dopiero przyjechał i nie miał czasu go wyładować.

Dzięki wam odzyskaliśmy skarb. Dyrektor muzeum chce dać wam nagrodę.

Che, che! Wiem, o co poproszę.

Che, che! Ja też.

W nagrodę dyrektor dał mi bilety powrotne.

A mnie coś innego.

Następnego dnia...

A co?

Powiem ci w domu. Chcę, żebyś miał niespodziankę.

Skoro o domu mowa... Po powrocie musisz zadzwonić do wodociągów i elektrowni, żeby wszystko naprawili.

Tymczasem ja skoczę do Diodaka. Może mi wyjaśni, jak to możliwe, że w kilka chwil przenieśliśmy się do Boliwii.

I rzeczywiście...

Czyli znaleźliście się w Boliwii minutę po tym, jak Goofy nadepnął na kable?

Tak.

Hmm... Wiesz, co to są jony?

Oczywiście. Cząstki naładowane elektrycznie, dodatnio albo ujemnie.

Właśnie. Naukowcy sądzą, że silnik jonowy mógłby osiągnąć prędkość tysiąca kilometrów na minutę.

To odległość do Boliwii!

Niesamowite! Nie mogę uwierzyć, że...

Wyładowanie elektryczne momentalnie was zjonizowało i polecieliście...

Wyobrażam sobie minę Goofy'ego, jak mu powiem, że przez minutę byliśmy dwoma silnikami jonowymi. Che, che!

Goofy! Mam niezwykłe wieści.

Później mi powiesz. Robię coś historycznego.

Historycznego?

Tak jest.

Zobacz. Jajka usmażone na inkaskiej patelni ze złota.

OOOOCH!

KONIEC

264

INDIANA GOOFS
Szmaragdowa góra lodowa

WALT DISNEY

PATAGONIA

ZATOKA OSTATNIEJ NADZIEI

WYSPA PRZYGNĘBIENIA

ZATOKA NIEPOTRZEBNA

ZIEMIA OGNISTA

I/T 2023A-24E

267

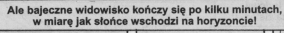

Ale bajeczne widowisko kończy się po kilku minutach, w miarę jak słońce wschodzi na horyzoncie!

Och... jaka szkoda!

Muszę natychmiast uprzedzić Mikiego i Goofy'ego!

Kormoran I, słyszycie mnie? Tu Kondor! Znalazłem górę lodową!

SZUUUST

Dziękttt... trrr... fzzz... słyszymy cię...

Jej!

Tymczasem...

Teraz Miki i Goofy przejmą górę lodową...

SZUUU

...i holownikiem przyciągniemy ją prosto do Myszogrodu!

Nie ma wątpliwości! Oto tajemnicza góra lodowa z opowieści wielu słynnych żeglarzy!

Po czterech wiekach Święty Kamień Wiktorian znów ujrzy światło dzienne!

Przygotować się do wyrzutu przyssawek!

271

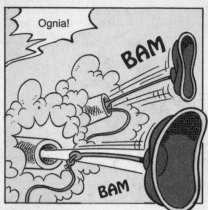

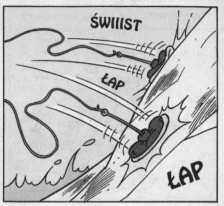

273

275

276

A bo ja wiem, Jack? Ja tylko chcę zostać bogaczem!

Mmm...

?

Ta chuda tyka chyba cienko przędzie, co, Jack?

No! Coś jakby cierpiał!

Zdejmijmy mu knebel, co ty na to?

Dobra myśl!

Ja ściągnę temu małemu!

Mmm...

279

283

„Ale gdy tylko statek znalazł się na pełnym morzu, rozpętała się straszliwa burza i zepchnęła go z dala od wszystkich znanych kursów!".

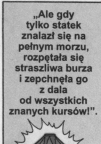

GRUUCH

I co było dalej?

Nikt dokładnie tego nie wie!

Opowiadano, że statek wylądował wśród lodowców Antarktydy i że tutaj szmaragd pozostał uwięziony wewnątrz góry lodowej!

„Odtąd góra lodowa błądzi po oceanach, przyciągając do siebie nieszczęście..."

„...lecz jedynie ukośne promienie wschodzącego słońca mogą odkryć jej szmaragdowe serce!".

Pomocy! Szmaragdowa góra lodowa!

Zmieniamy kurs!

Jako ostatni przed nami widzieli ją pasażerowie statku rejsowego!

„To był zachód słońca! Statek przepływał spokojnie obok wybrzeży Antarktydy!".

„Nikt nie wyobrażał sobie tego, co wkrótce miało nastąpić...".

Jedno frappé miętowe! Dwa lody o smaku czereśniowym i koktajl z polewą brzoskwiniową!

Che! Che! Każdy umie zrobić dobre lody, ale cała tajemnica tkwi w polewie!

CHLUP
CHLUP
CHLUP
CHLUP

Tysiące przepysznych smaków przygotowanych własnoręcznie!

MALINA
CZEREŚNIA
ANYŻEK
MIĘTA

JAGODA

285

287

289

290

292

Tymczasem Kormoran I dotarł w okolice Wyspy Dymu...

Wreszcie dotarliśmy! Teraz uwolnimy szmaragd z lodu!

Nie będzie łatwo! To najbardziej skomplikowana część operacji!

Jak tylko wpłyniemy do laguny, trzeba będzie zbudować system rur...

...aby skierować tam ciepłe opary z gejzera i ogrzać wodę!

Przyda się nam każda para rąk!

Aha! A więc dlatego chciałeś tu przywieźć tę dwójkę!

Tak! Mogą nam się przydać!

Przede wszystkim Miki! Wiem, że jest doświadczonym nurkiem!

Po co nam nurek?

Trzeba owinąć górę lodową siatką, aby po roztopieniu lodu...

...szmaragd nie spadł na dno!

I tym się zajmie Miki! Zrozumiałem!

297

298

W międzyczasie Indiana Goofs zaprzyjaźnił się z Hamarą Korsarką!

Ech! To miała być unikatowa na świecie wioska turystyczna!

Morze i góry w jednym!

Dlatego ja i Azdrubal kupiliśmy ten żaglowiec i zmieniliśmy go w pływającą restaurację!

To miał być interes stulecia...

...gdyby tylko była tu droga albo przynajmniej lotnisko dla turystów! Tutaj nawet nie przybijają statki z powodu licznych gór lodowych!

To nie są głupoty! Góra lodowa należy do mnie! Ja ją znalazłem!

Ukradł mi ją Kranz do spółki z bandą piratów!

COOO?

Kranz! Tak właśnie się nazywał ten wstrętny gad!

Zostawili mnie na lodzie, żeby szukać szmaragdów! Ukradli mi pieniądze i kelnerów!

Chcesz odzyskać górę lodową, przyjacielu?

Jasne!

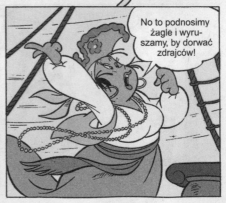

No to podnosimy żagle i wyruszamy, by dorwać zdrajców!

301

Tymczasem Hamara i Indiana Goofs dyskutują o kursie...

Wspominali o Wyspie Dymu!

Gdzie ona jest?

Niedaleko... jest tu!

Jak myślisz, dlaczego akurat tam popłynęli?

Skąd mam wiedzieć? To bezludna wyspa, pełna gejzerów...

No jasne! Roztopią lód parą z gejzerów i zabiorą szmaragd!

Co za genialny pomysł!

Hm... nawet za bardzo, jak na Azdrubala! Musiał na to wpaść Kranz!

Kranz to cienias! Jako archeolog nie potrafi odróżnić prehistorycznego graffiti od plakatu reklamowego!

Ale zdmuchnął ci górę lodową sprzed nosa!

Hm... owszem! I to nie tylko ją!

Czy mogę zadać ci osobiste pytanie, Hamaro?

Wal śmiało!

Dlaczego wyszłaś za mąż za pirata?

Pirata? Cha! Cha! Cha!

?

Azdrubal... piratem? Chi! Chi! Cha! Cha!

STUK STUK

309

Azdrubal jest kucharzem!

„Niezbyt zdolnym, jeśli mam być szczera..."

„...i na dodatek kłótliwym! Klienci uciekali z mojej restauracji...".

Kto powiedział, że ziemniaki je się bez skórki?

Jej!

Dlatego musiałam ją zamknąć!

Sprzedałam ją, by kupić ten żaglowiec knajpę! Pirackie przebrania miały tworzyć atmosferę!

Pośrodku wielkiego zamieszania...

Wszyscy tutaj, szybko! Trzeba naprawić rury!

Chodź, Goofy! Laguna musi być z tej strony!

KLAP

...Miki i Goofy próbują uciec!

Idziemy w dobrą stronę!

Khy! Khy!

Rzeczywiście, po chwili...

Udało nam się!

Khy! Khy! Serio?

Na dół, Goofy!

AAA!

Tymczasem wspomniany profesor...

Gotowe!

Ta też naprawiona!

Dobra robota, chłopaki!

Azdrubalu! Już wszystko w porządku! To była tylko mała usterka i... hej!

Gdzie jest Azdrubal?

Hy?!

Rety! Mam straszliwe podejrzenie!

Przy wyjściu z laguny...

To on! Przygotuj się!

Mam go!

Złap mnie za rękę, Goofy!

Ble...

Dasz radę?

Tak... ale chce mi się pić!

Znowu?!

To nie moja wina, że woda w morzu jest słona i...

TRZASK

Hę?!

Dzięki, Goofy!

Jejcia!

A teraz zajmijmy się Azdrubalem!

Gdybym przynajmniej miał czas się jej napić!

Jest tam! Niczego nie podej-rzewa!

Tymczasem... Nie mogę w to uwierzyć! Zostawił nas!

Azdrubalu, zapłacisz mi za to! I to słono!

Chlip! Ech!

TUUU

Hej! Ale...

Holownik zawraca!

TUUU

Wiedziałem, że tak to się nie mogło skończyć!

Za nim płynie żaglowiec Hamary!

Hej! Góra lodowa prawie całkiem się roztopiła!

Ble!

Trzeba go wyciągnąć, zanim zatonie!

Zatrzymaj maszynerię, Miki!

Nadeszła wielka chwila?

Tak! Szmaragd jest prawie całkiem bez lodu!

I tak, po umieszczeniu na pokładzie tego, co zostało z góry lodowej...

OOOCH!

328

Taką! Jest pyszna! Spróbuj!

Ale...

LIZ

Hej! Goofy ma rację!

To naprawdę mięta!

Mięta?!

Jak to możliwe?

Mnie nie pytaj!

Odkąd to szmaragdy smakują jak mięta?

Hm... a jeśli to nie jest szmaragd?

329

330

Kranz ma rację! Zostałem na lodzie! A właściwie z lodem!

KAP KAP

Spróbujmy...

Mięta, bez dwóch zdań! I to najlepszej jakości!

Skąd się tu mogła wziąć?

Na pewno została wyładowana z jakie-goś statku i...

„...i butle wylądowały w wodzie..."

Chlip!

...gdzie wtopiły się w góry lodowe!

Czyli mogłoby być ich więcej?

Och tak! Góra lodowa o smaku czereśniowym, jagodowym, pomarańczowym...

I według twoich wyliczeń powinny się wszystkie znaleźć w Zatoce Ostatniej Nadziei?

Tak! Ale...

Mam świetny pomysł! Do zatoki, prędko!

I tak... historia się powtarza!

Słońce zachodzi za horyzont... zaraz się zacznie!

Jest góra czereśniowa!

I następna cytrynowa! I malinowa!

Wreszcie...

Udał nam się zbiór!

KONIEC

MYSZKA MIKI

Księga tajemnic

I/T 1861 B

Już od kilku dni do Muzeum Myszogrodzkiego przychodzi szczególny gość...

Przepraszam, że przeszkadzam. Jestem profesor Zapotek, dyrektor muzeum.

Zauważyłem, że konsekwentnie prowadzi pan swoje badania. Może mógłbym panu pomóc...

Miło pana poznać, profesorze. Nazywam się Trygonius. Doktor Trygonius.

Dziękuję za propozycję, ale pomóc mógłby mi tylko cud.

Co pan ma na myśli?

Moje badania kończą się tutaj. To, co odkryłem, na nic mi się nie przyda.

Jeśli chciał mnie pan zaciekawić, to się panu udało. Proszę mówić jaśniej.

Dobrze. Ale proszę się niczemu nie dziwić, bo moje badania wykraczają poza granice oficjalnej nauki.

Wiele wieków temu na północnym wybrzeżu Peru wzniesiono Kici-Kici, stolicę królestwa Felis, które osiągnęło wysoki poziom rozwoju technicznego i naukowego.

Kiedy te ziemie najechali Inkowie, Zurowie, tajna organizacja uczonych i magów, znaleźli schronienie w podziemnej świątyni. Tam dalej prowadzili swoje badania, które miały służyć odprawieniu tajemniczego rytuału o ogromnej mocy.

W końcu nadszedł długo wyczekiwany moment. Układ gwiazd sprzyjał, ale...

...nagłe trzęsienie ziemi przekonało kapłanów, że bogowie sprzeciwiają się rytuałowi...

RRRUUUMS

Dlatego na zawsze porzucili projekt.

A skąd pan to wszystko wie?

W moje ręce wpadła magiczna księga „Necronomicon".

Ale to nie wszystko. Według moich badań niedawno znowu nastąpił korzystny układ gwiazd.

Gdybym tylko na czas dokonał swoich obliczeń... ludzkości nie ominęłoby drugie spotkanie z przeznaczeniem...

Chce pan powiedzieć, że gdyby w odpowiedniej chwili odprawiono rytuał...

Tak, profesorze. Bryła świata ruszyłaby z posad tysiące lat do przodu.

Wielkie nieba! Wyobraża pan sobie, jakie poruszenie wywołałoby coś takiego w świecie nauki?

Owszem. Ale, niestety, nie mam wehikułu czasu. Ech!

Ekhem... Doktorze, czy mógłbym zobaczyć księgę? Chociaż przez chwilę...

Hmm... To bardzo delikatna rzecz, ale jest pan poważnym naukowcem, więc czemu nie.

Dziękuję.

Spotkajmy się wieczorem u mnie. Oto moja wizytówka.

Jeszcze raz dziękuję i do zobaczenia.

Trochę później...

To nie w twoim stylu, wierzyć w takie bajki.

Stare księgi, czary, kapłani... To ma być nauka?

Rozumiem twój sceptycyzm, ale opowieść tego człowieka mnie zafascynowała.

Co zamierzasz?

Sprawdzić prawdziwość tej historii, a jeśli księga istnieje...

Chyba nie chcesz...

Tak. Wehikuł czasu...

Zdradzisz naszą tajemnicę? Nie możesz!

Jeśli on ma rację, nasz wehikuł to fraszka, igraszka, zabawka blaszana.

Widzę przed nami ścieżkę sławy. Przejdziemy do historii.

Czyli cię nie przekonam?

Nie. Pójdę na to spotkanie.

Dobrze, kolego profesorze, ale proszę chociaż o jedno.

O co?

Weź ze sobą Mikiego i Goofy'ego. Będę spokojniejszy.

Dobrze. Niech będzie.

A zatem tego wieczora...

O co chodzi, profesorze?

O coś bardzo ważnego.

344

Chyba nie w tym paskudnym pysku...

DRRRYŃ

OCH!

Udało ci się. Furtka się otwiera.

Zauważyłem... Brrr!

SKRZYP

Dobry wieczór, profesorze. Widzę, że nie przyszedł pan sam.

347

Dziękuję, ale gdybyśmy mogli od razu przejść do rzeczy...

Zgoda. Zapraszam do gabinetu.

Zaczekajcie tu na mnie, proszę. Zaraz wrócę.

No i co o tym sądzisz?

Trochę dziwny typ, ale wydaje się w porządku.

Tak. Wszyscy uczeni są trochę dziwni.

Nie tylko uczeni.

Che, che!

Po długim oczekiwaniu...

Nie sądziłem, że będziemy czekali tak długo.

Tak.

Muszę się czymś zająć, bo inaczej zasnę. Ziew!

W takim domu nie powinienem mieć kłopotu.

Spójrz na przykład na ten zegar. Widziałeś kiedyś taki?

Już prawie północ. Zaraz wybije...

Och!

TRACH

Co?!

350

Co pan ma na myśli?

W obliczu odkrycia doktora Trygoniusa nie można się wahać.

Doktor zebrał niezbite dowody i dlatego...

...proszę was, żebyście towarzyszyli mu w podróży wehikułem czasu.

Ojej!

Nie dziwcie się, przyjaciele. W świecie nauki nie powinniśmy mieć przed sobą tajemnic.

Powodzenia, doktorze. Lepszych towarzyszy podróży by pan nie znalazł.

Później w muzeum...

Nie wiem, co powiedzieć, ale zdaje się, że profesor Zapotek nie ma wątpliwości.

Phi!

Proszę. To są koordynaty czasoprzestrzenne, które miałem panu dać...

Grrr!

Nie mogę się pogodzić z decyzją Zapoteka.

Tak, dziwna sprawa.

Miejmy nadzieję, że wie, co robi.

Ech! Idź po sprzęt. Teren, na który jedziecie, to niemal pustynia.

353

355

Już mówię. Kiedy znajdziemy wejście do tajnej świątyni...

...ja, za pomocą starożytnej księgi, dokończę rytuał, dzięki któremu świat posunie się naprzód o tysiące lat.

Tylko tyle?

Goofy! Możesz być cicho?

Nie chciałem go obrazić.

Ale nasi przyjaciele nie są sami...

Co to za jedni? Lepiej powiadomię wodza.

358

Świątynia! Znaleźliśmy ją.

Brawo, Goofy! Gdyby nie ty, nigdy byśmy jej nie znaleźli.

Chodźmy. Szkoda czasu na gadanie.

Spójrzcie na te drzwi. Może to tutaj...

Hmm...

Stój, Goofy. Coś mi tu nie pasuje. Trzymaj mnie.

TUP

TRZASK

P-p-pułapka!

Tak. Wyglądało to podejrzanie.

Odwagi, przejdziemy po krawędzi...

Gdy nasi bohaterowie pokonali przeszkodę, ich oczom ukazał się...

Strażnik Wiedzy. Czyli to nie legenda.

Są pochodnie. Zapalę kilka.

Wspaniale! To pieczęć kapłanów.

Pozostaje tylko przygotować wszystko na rytuał. Sukces już blisko.

Szkoda, że nie ma tu Zapoteka.

Właśnie. Gdyby nie spadł...

Stał sobie na drabinie, a potem... bach! Co za pech.

Och!

Brawo, Goofy! Jesteś genialny.

Hę?

Przepraszam, doktorze...

Tak, słucham...

Chciałbym spytać o coś odnośnie wypadku profesora Zapoteka...

Proszę pytać.

Chciałem tylko wiedzieć, czy udało mu się samemu usiąść na kanapie.

Pewnie, że nie. Pomogłem mu. Po upadku. Ale o co chodzi?

A potem nas pan zawołał.

Zgadza się. A teraz, jeśli pan zechce...

Tak, zechcę powiedzieć, że jest pan oszustem!

Ale... Miki...

Pamiętasz, Goofy? Patrzyliśmy na zegar, usłyszeliśmy huk i natychmiast pan wyszedł, doktorze. Coś tu się z pewnością nie zgadza.

363

Nie rozumiem tylko, jak pan nakłonił Zapoteka do takiego zachowania.

To proste. Jestem świetnym hipnotyzerem.

Kiedy Zapotek sprawdził autentyczność księgi, od razu opowiedział o wehikule czasu.

Zrozumiałem, że przy swojej uczciwości nie zagra w moją grę, więc...

Na niego, Goofy! Tylko nie patrz mu w oczy!

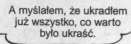

370

KONIEC

WUJEK SKNERUS

Operacja „Niebieska koza"

A nie mówiłem? Musisz kupić nową.

Ech! Obawiam się, że masz rację.

Skończę pod mostem, jeśli co pół wieku będę kupował nowe ubranie.

Wujaszkowi przydałby się ciuch z wełny Inków.

Tak.

Z wełny Inków? O czym mowa?

Inka to tytuł władcy imperium Inków, dawnych mieszkańców Peru. Szyto im stroje z wełny kóz o niebieskiej sierści.

Materiał był niemal niezniszczalny.

Wielkie nieba! To coś dla mnie.

Tak. Szkoda, że niebieskie kozy już wymarły.

Ostatni okaz widziano w Andach sto lat temu.

!

375

To będzie rewelacyjny numer.

Podłączę się do tego radia...

...i zacznę nadawać. Che, che, che!

Otrzymaliśmy niezwykłą wiadomość z Peru.

!!!

W Andach zauważono okaz niebieskiej kozy...

377

Cooo?

Cha, cha! Ale ubaw! Wujaszek połknął haczyk.

Czyli to był tylko żart?

Tak, ale jaki! Chi, chi, chi!

Kto o tym teraz powie wujkowi Sknerusowi?

Wujek Donald, ma się rozumieć. To był jego pomysł.

Ale...

Już mam! Pięć biletów do Limy.

Kwa!

Na co czekacie? Pakujcie się! Macie godzinę!

Ekhem... widzisz...

Bez gadania. Spotkamy się na lotnisku.

Kupił już bilety. Jak mu teraz powiedzieć, że to był tylko dowcip?

Sam wymyśl sposób. Widać, że dobrych pomysłów ci nie brakuje.

A zatem godzinę później...

Czekaj, wujku! Muszę ci powiedzieć coś ważnego.

Powiesz mi podczas lotu.

Nie! Teraz. Ten komunikat w radiu to był żart, który wymyśliłem...

Co takiego? Nie wmówisz mi, że ci z radia...

...nadali tę wiadomość na twoją prośbę.

379

380

Jesteśmy na miejscu. Przed nami Andy.

Kilka godzin później...

Zacznijmy poszukiwania od tej wioski.

Założymy bazę w tamtej gospodzie. Co wy na to?

Dobra. Skosztujemy miejscowej kuchni.

POSADA

Chcemy spróbować waszych tradycyjnych dań.

O nie!

Dobrze, señor. Fasola w sosie własnym dla wszystkich.

Jak chcesz znaleźć tę kozę?

To proste. Zapytamy miejscowych.

381

Zacznę od razu, od naszego miłego gospodarza.

Oczywiście. W tych stronach kóz nie brakuje.

Naprawdę?

Ale niebieskiej nigdy nie widziałem. Cha, cha!

GRRR!

Mówię o szczególnej kozie, hodowanej przez Inków.

Słyszałem tę legendę. Ciemnota i zabobon.

Niech sobie mówi, co chce. Nie poddam się, dopóki nie znajdę niebieskiej kozy.

?

383

Zatrzymaj się, wujku. Ci dwaj łapią autostop.

Zawieziecie nas do następnej wioski? Mój przyjaciel źle się czuje.

Ekhem... Jasne.

Co ty mówisz? Nie czuję się źle.

Wybaczcie mu. Dostał udaru słonecznego, ale nie chce się przyznać.

Jakiego znów udaru! Naprawdę ją widziałem.

Uspokój się. Takie zwierzęta nie istnieją.

Mówię ci, że ją widziałem. Była niebieska.

Phi!

Mówicie przypadkiem o niebieskiej kozie?

Zgadza się. Nie bez kozery.

PIIIIISK

384

Hura! To ona!

Che, che, che!

Zaprowadzi mnie pan do niej?

O nie, señor. To zwierzę przynosi pecha.

Nie wrócę tam za żadne skarby świata.

Naprawdę?

A za sto dolarów?

Hmm...

Nie. Nawet za dwieście.

A czy pięćset dolarów złagodzi pański strach?

Pięćset teraz i drugie pięćset w miejscu, gdzie widziałem tę kozę.

Zgoda.

Musimy wspiąć się tam.

No to w drogę.

Po godzinie...

Daleko jeszcze?

Nie, nie. Jesteśmy prawie na miejscu.

Dalej musimy iść pieszo.

Weźcie sprzęt, chłopcy.

Dobra.

Chyba już blisko, nie?

Tak mi się wydaje.

To tutaj. Stąd widziałem tę niezwykłą kozę.

388

389

390

Zabierzmy ją w bezpieczne miejsce. Potem poszukamy jej krewnych.

Ej, patrzcie!

Terenówka zniknęła.

Tam jest!

Kwa! To te dwa typki, które doprowadziły nas do Błękitki.

A to dranie! Tysiąc dolarów im nie wystarczyło?

To pewnie ze strachu. Pamiętasz, jak stąd uciekali?

394

Ani śladu wujaszka.

A przecież słyszeliśmy, że wpadł do wody.

Pozostaje tylko zejść do tej studni.

Dobra. Pójdę po linę.

Zaczekaj tutaj, wujku.

Nic z tego. Wujaszka nie ma.

Przecież nie zniknął.

Z drogi, chłopcy. Schodzę.

Uważaj, wujku! Lina może się zerwać.

Niebieska koza!

A-ale co to za miejsce?

Świątynia Syna Słońca.

AAAAAA!

Che, che! To ja, głupki!

Wujaszek!

Co tu robisz?

Znalazłem coś lepszego niż wasza Błękitka.

Che, che! Znalazłem skarb Inków.

Ale teraz trzeba znaleźć wyjście.

Właśnie. Przez studnię nie wyjdziemy.

Która droga jest właściwa?

Hmm... Istny labirynt.

MEEEEE!

Błękitka!

Jak tu dotarłaś? Na pewno wiesz, którędy wyjść.

MEEEEE!

Hej! Pokazuje, żebyśmy szli za nią.

Uff! Puff!

Powoli, chłopcy. Nie jesteśmy kozami.

Hura! Wyjście!

A tam grota, z której ruszyliśmy. W pobliżu znajdziemy nasze plecaki.

Tymczasem w wiosce...

Telegram do Sknerusa McKwacza.

Señor McKwacz poluje na niebieskie kozy. Cha, cha, cha!

OCH!

401

Rety! S-skarb?

Skoro tak, należy nam się dola, señor.

KWAK!

Zobacz, Carlos! Złoto i klejnoty!

Wspaniale!

To nasza koza znalazła skarb, więc go zatrzymamy.

Che, che!

A wam zostawimy kozę. Kto wie, może znajdzie jeszcze jeden.

402

403

A zatem później...

ŻANDARMERIA

Paco i Carlos? Co tym razem narobiliście?

Niech nas pan aresztuje. Niech jakaś ściana oddzieli nas od tych rogów.

Jak sobie życzycie.

W drodze powrotnej...

Wujaszku, miło, że pozwoliłeś nam zabrać Błękitkę.

Tak, mimo że jej wełna nie przetrwa wiecznie.

Może i nie, ale przynajmniej będę miał gratisowy materiał na podomkę.

Che, che! Zawsze myślisz o swojej wygodzie.

KONIEC

406

A waszym zdaniem nie mam powodu?

Nie mamy pojęcia...

Nigdy się nie dowiedzą, jeśli im wszystkiego nie opowiesz.

Racja. Ale trudno się opanować w obliczu takiej tajemnicy.

Powie nam pan wreszcie, co się stało?

Pewnie, pewnie.

410

My jesteśmy gotowi.

Kiedy ruszamy?

Zaraz.

Macie tu odpowiednie stroje.

Traficie do Wenecji 28 lutego 1484 roku.

Skoro konkurs odbył się w lutym, rysunek musiał powstać przed tą datą.

Twórca rysunku nazywał się Marco Veneto. Na rysunku jest jego podpis.

Wehikuł czasu gotowy.

PUF

PUF PUF

413

414

Od razu poznałem, żeście przyjezdni. Tutaj wszyscy znają Marca.

To malarz młody, ale obiecujący.

Zwykle o tej porze siedzi w gospodzie „U Papardelli".

Wielkie dzięki!

GOSPODA „U PAPARDELLI"

Mamy szczęście.

Za parę minut zakończymy misję.

Zostanie nam sporo czasu na zwiedzanie.

Powiedziano nam, że Marco Veneto to pański klient.

Zgadza się.

Często pokazuje tu swoje obrazy. Ale od kilku dni go nie widziałem.

Tam siedzą jego koledzy. Może oni wiedzą coś więcej.

Przepraszamy. Szukamy Marca Veneto. Podobno go znacie i...

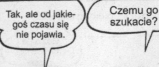

Tak, ale od jakiegoś czasu się nie pojawia.

Czemu go szukacie?

417

418

419

Mówcie! Gdzie mój syn?

Hę?

Właściwie przyszliśmy pana o to spytać.

Aha.

Myślałem... Przepraszam. To nieporozumienie.

Widzę. My też nie wiemy, gdzie on jest.

Szkoda.

Od trzech dni nie ma go w domu. A w ogóle mnie nie uprzedził.

To nie w jego stylu. Dotąd zawsze mówił mi o swoich podróżach.

Hmm...

Może się pokłóciliście?

W żadnym razie.

Bardzo się martwię. Boję się, że coś mu się stało.

PUK PUK

Co się stało?

Ktoś zapukał do drzwi. Jak otworzyłam, znalazłam to.

O NIE!

Marca porwano! Porywacze żądają tysiąca dukatów.

O rany!

423

Ojciec nie chce pomocy, a my jesteśmy w innej epoce w nieznanym mieście.

Nie wiedziałbym, od czego zacząć.

Misja się nie powiodła. Pozostaje iść do gospody i czekać...

...na powrót do naszych czasów.

Dzień dobry.

A, to znowu wy.

ŁUP

ŁUP

Wyglądacie na przejętych. Coś się stało Marcowi?

Owszem. Porwali go. Goofy!

Obiecaliśmy, że nikomu nie powiemy.

Ojć! Wyrwało mi się.

Nie bójcie się. Dochowam tajemnicy, a przynajmniej spróbuję.

Nie martwcie się o niego. Zobaczycie, nic mu się nie stanie.

ŁUP
ŁUP

Jestem Marco Veneto i...

Marco! Nareszcie cię znaleźliśmy.

Co? Szukaliście mnie?

Tak, ale o tym później.

Musimy się stąd jakoś wydostać i doprowadzić do aresztowania tego łotra Papardelli.

Co? To on mnie porwał?

Nie wiedziałeś?

Nie. Napadnięto mnie od tyłu.

Wszystko jasne. Ostatnio interesy szły kiepsko i Papardella popadł w długi.

Postanowił rozwiązać swoje problemy w taki sposób?

A to drań.

DOBRA!

Pst! Słyszę jakieś głosy.

Niedługo stary Veneto zapłaci okup za syna

Che, che! Tysiąc złotych monet.

Wszystko poszłoby gładko, gdyby nie ci dwaj wścibscy przybysze.

Co chcesz zrobić?

Zamierzałem uwolnić Marca zaraz po otrzymaniu okupu, a potem dalej po prostu pracować w gospodzie.

Wymyśliłem też bajeczkę o niespodziewanym spadku, żeby wyjaśnić, skąd mam pieniądze.

Ale teraz nic z tego, skoro Marco wie, że to ja go porwałem.

Popłyniemy do innego kraju i weźmiemy więźniów ze sobą. Uwolnimy ich w miejscu, gdzie nie będą mogli nam zaszkodzić.

Idę. Dobrze ich pilnuj.

Został tylko jeden. Musimy skorzystać z okazji i spróbować uciec.

Niby jak?

Klapa jest zamknięta...

...a bulaj za mały, żeby się przecisnąć.

Wzywanie pomocy nic nie da. To mała, ukryta zatoczka. Nikt nas nie usłyszy.

Hej! Łódź rybacka. Może jeśli krzykniemy wszyscy razem...

Ojej! Pokaż.

Poznaję. To łódź moich przyjaciół.

431

4

Później...

Dziękuję za uratowanie mojego syna.

A co z Papardellą?

Aresztowali go strażnicy, kiedy próbował uciec z okupem.

Świetnie.

W więzieniu on i jego wspólnik będą sobie mogli wszystko przemyśleć.

Chodźmy. Praca czeka.

Do zobaczenia.

Cześć. I jeszcze raz dzięki.

Skoro już po wszystkim, chcę cię o coś spytać.

Śmiało.

Podróżowałeś do bardzo dalekiego kraju, prawda?

Tak.

W zeszłym miesiącu byłem w Anglii. Nigdy nie wybierałem się tak daleko.

Czyli nie popłynął do Ameryki przed Kolumbem.

Widziałeś może ostatnio jakieś niezwykłe zwierzę?

Owszem.

Białego kota z jedną nogą zupełnie czarną. Dziwne, nie?

Och!

Można też odrzucić hipotezę o europejskich indykach.

Powodzenia.

Na pewno ci się uda.

Do zobaczenia, przyjaciele.

Czyli tajemniczy rysunek to po prostu wytwór jego wyobraźni.

Tak. Marco nigdy nie widział indyka...

...a jednak go narysuje.

Co za fantazja.

Pospieszmy się. Już niedługo mamy spotkanie z wehikułem czasu.

440

Kogo interesuje materiał o tenorze Kwarrerasie, który je spaghetti w restauracji?

Ale... to już trzeci talerz. Biorąc pod uwagę, że jest na diecie, wydawało mi się, że to ciekawe.

Źle ci się wydawało!

KWA!

Dobry z ciebie fotograf, ale ostatnio marnie ci idzie.

Jednak chcę ci dać szansę rehabilitacji.

Dzięki, szefie.

Dostaliśmy cynk, że multimiliarder Sknerus McKwacz kupił niedawno cenny posążek Majów.

Tymczasem...

Jestem, wujaszku.

Brawo, Donaldzie. Cieszy mnie twoja gotowość.

O czym chciałeś porozmawiać?

Chwileczkę.

?!

KWAK!

A PSIK

Che, che! No i posprzątane.

Kto to był?

Wścibscy dziennikarze. Odkąd jakiś plotkarz powiedział im, że kupiłem stary posążek Majów, nie dają mi spokoju.

Każdy liczy, że pierwszy o tym napisze.

Ale dlaczego nie chcesz opublikować tej wiadomości? To dla ciebie powód do dumy.

Jeszcze nie teraz.

Najpierw chcę dokończyć budowę specjalnego sejfu, do którego nie można się włamać.

Przez jakiś czas mógłbyś przechowywać posążek w pancernej komorze skarbca.

Niemożliwe. Zaraz ci pokażę, dlaczego.

A, tu jesteś. Nieźle mnie nastraszyłeś. Gdybyś zemdlał, musiałbyś mi oddać za sole trzeźwiące.

GRRR!

Wracając do posążka, postanowiłem ci go powierzyć, żebyś go przechował u siebie w domu.

Takiego miejsca nikt by nie podejrzewał.

To prawda.

Oto i on.

Ale szkaradztwo.

Sejf będzie zamontowany jutro. Gdy nadejdzie czas, zadzwonię i poproszę o zwrot posążka.

Dobra.

Spokojna głowa. U mnie będzie bezpieczny jak niemowlę w ramionach mamusi.

Mam nadzieję.

Bo jeśli coś się stanie, do końca życia się nie wypłacisz.

Ojej!

Hmm... Koledzy po fachu już wkroczyli do akcji. Jak widzę, z marnym skutkiem.

Oho! Siostrzeniec Sknerusa.

Co niesie w tej torbie? Może posążek? Muszę to sprawdzić.

Wujaszek mówił, że posążek jest nie tylko cenny, ale i delikatny. Muszę bardzo uważać.

KWA!

449

Instynktownie podniósł torbę, żeby ją chronić.

BĘC

Czyli naprawdę niesie coś cennego. Na pewno posążek.

Kto to... Ojć! Ten wścibski dziennikarz Dan Paparazzo.

Che, che! Widzę, że mnie znasz.

Co masz w torbie? Drugie śniadanie?

To moja sprawa.

Pokaż.

Nigdy!

Nic nie zobaczysz.

Uch!

Ha! Widziałem cię.

Wyjdź i otwórz torbę.

I co? Zadowolony?

Och!

Wyrolował mnie. Wychodzi z drugiej studzienki.

KLANG

Otwórz! Otwórz!

Chi, chi!

BAM
BAM

Szczęśliwej podróży! Pierwszy postój jutro rano.

Później...

Nareszcie w domu.

Miałem trochę ciężkie popołudnie.

Tutaj bezcenny posążek będzie bezpieczny.

Najpierw kolacyjka...

...a potem lulu. Ziew!

Następnego ranka...

DRRRYŃ

Zieeew!

Spałem jak kamień...

Hmm... Ale przecież wujaszek nie opublikował informacji o zakupie...

...czyli tajemniczy sprawca nie zna wartości łupu.

Możliwe, że dalej jest w mieście.

Spróbuję o niego popytać. A najlepiej poradzi sobie z tym inny złodziej.

Jeszcze worek z łupami, żeby przebranie wyglądało bardziej wiarygodnie.

Nie myśl, że się ode mnie uwolniłeś, spryciarzu.

Gdzie jesteś?

Pewnie wymknął się tylnym wyjściem z posążkiem.

Chi, chi! Dał się nabrać.

Szuka mnie gdzie indziej, a ja mogę wyjść bez przeszkód.

Lepiej wyjdę oknem. Nie chcę, żeby sąsiedzi widzieli mnie w tym stroju.

No proszę. Złapany na gorącym uczynku.

Ojć! Nieugięty sierżant Dizel.

Niech pan nie da się zwieść pozorom. To moje rzeczy.

Tak, tak. Oczywiście.

I założę się, że przebrałeś się na bal maskowy, co?

Nie. Chcę znaleźć złodzieja i...

Aha.. Wspólnika.

Czyli przyznajesz się do winy. Areszt czeka.

Zaraz to wyjaśnię. Na pewno pan zrozumie...

Faktycznie...

Wypuśćcie mnie!

Ech! Nie da się z nim normalnie porozmawiać.

Nie przejmuj się. Tutaj nie jest tak źle. Rychowi możesz zaufać.

Jestem niewinny.

Może i jesteś... ale wszyscy tak mówią. Trudno się połapać, kto kłamie, a kto nie.

Z tego, co słyszałem, złapali cię na gorącym uczynku. Tak jak mnie. Cukierka?

Zobaczyłem faceta z wypchanym portfelem. I nie mogłem się powstrzymać.

Wyrwałem mu go i... w nogi.

Ale zaraz mnie dogonił. Ech! Może moje nogi nie są takie szybkie, jak kiedyś.

Che, che!

Ostatnio nic mi nie wychodzi. Dziś w nocy włamałem się do domu przy Kwakowej, ale znalazłem tylko jakieś badziewie i paskudny posążek.

Hę?

Czyli to jego sprawka.

Ale fart. Może go nakłonię do zwrotu posążka.

Ekhem... Słuchaj, kolego...

Sprawdziliśmy. Mówiłeś prawdę. Jesteś wolny.

Och!

No? Na co czekasz?

Chwileczkę. Muszę go o coś spytać.

Nic z tego. Nie wolno rozmawiać z aresztantami poza godzinami wizyt.

KWAK!

?

Wynocha, mówię!

KWARAK!

I więcej nie udawaj złodzieja. Symulowanie przestępstwa to też przestępstwo.

GRRR!

Zapłacę kaucję za tego Rycha. Tylko on wie, gdzie jest posążek.

Ale...

Już go wypuściliśmy. Okradziony wycofał oskarżenie.

O nieee!

Hmm... Bardzo podejrzany typ.

ZIUUU

Muszę go znaleźć, zanim sprzeda łup.

Aha! Znalazłem cię.

Rety!

Mam dosyć zabawy w policjantów i złodziei. Gdzie jest posążek?

Nie wiem.

Zresztą i tak bym nie powiedział.

Dobra. Sam znajdę.

Później...

Zapytam w tym barze. Może go widzieli.

JASKINIA LWA

Przepraszam, wie pan, gdzie jest Rycho?

Rozmawiam tylko z klientami.

No dobrze. Oranżadę poproszę.

SALON GIER (NIEUCZCIWYCH)

Ech!

No to gdzie ten Rycho?

Informacje kosztują, kolego.

Oto dziesięć dolarów. Gdzie go znajdę?

Che, che! Nie wiem.

Spytam tych dwóch.

Nie wiecie, gdzie jest Rycho?

?

COOO?

Wyglądamy na takich, którzy zadają się ze zwykłymi złodziejaszkami?

SZRU SZRU

Jesteśmy zawodowcami.

Interesują nas banki, a nie drobnica.

P-przepraszam. N-nie wiedziałem...

Wiesz, czemu przyszliśmy? Dostaliśmy cynk, że jest tu osławiony przestępca, Krótki.

Mam nadzieję, że nie bierzecie mnie za niego?

Próżna nadzieja...

KOP

Wypuśćcie mnieee!

Cześć.

Rycho! Myślałem, że cię wypuścili.

Tak było. Ale nie umiałem się powstrzymać i znowu mnie złapali.

Co zrobiłeś z posążkiem, który ukradłeś w nocy?

A co?

NIE MA JAK W DOMU

Był tak brzydki, że oddałem go właścicielowi. Włożyłem statuetkę do skrzynki na listy.

FAJT

Ej, kaczor! Właśnie dostałem informację, że patrol aresztował Krótkiego.

Hura! Jestem wolny.

Nie myśl, że tak łatwo się wywiniesz. Twoja obecność w barze nas zmyliła. To poważne przestępstwo.

Zapłacisz za to sto dolarów mandatu.

GRRR!

Proszę. A ile wynosi kaucja za Rycha?

Nie rób sobie kłopotu.

Dzięki, ale wolę zostać. To już mój dom.

Dobra. Jak chcesz.

Udało się!

BŁYSK

Zrozumiałem, że prędzej czy później posążek wróci do skarbca i wdarłem się tu podstępem. Niezły pomysł, co?

Fatalny. Słowo daję, fatalny.

O rany!

?

Jesteś pewien?

Dobrze znam ten wizerunek. Z układu światła i cienia wnioskuję, że...

Chi, chi, chi!

A z tego śmiechu wnioskuję, że strzelam kulą w płot.

Tak. Spójrz, co trzymam w ręce na drugim zdjęciu.

Rysunek... na kamiennej tabliczce.

Znaleźliśmy go w ruinach starożytnego miasta, bardzo oddalonego od Nazca. Jest identyczny, jak ten na płaskowyżu. Niesamowite, co?

A z jakich czasów pochodzi?

Marlin właśnie go bada i...

Hura! Mamy powody do radości. Tabliczka to dzieło starej cywilizacji prekolumbijskiej.

Nie rozumiemy natomiast znaczenia portretu, nakreślonego z drugiej strony.

Hmm... Fascynująca tajemnica.

Tak. Czy to wielkie rysunki stanowiły inspirację dla tabliczki, czy na odwrót? Macie znaleźć odpowiedź na to pytanie.

Co jest, Goofy? Źle się czujesz?

Na razie nie, ale boję się upadku.

Spokojnie. Zamontowaliśmy nowy układ lądowania, który wybiera najbardziej miękką opcję.

Wkrótce...

Ekhem... Biorę poduszkę, gdyby zabrakło opcji.

Ech! Powodzenia.

478

479

Powinieneś go uwięzić.

Wszyscy przesądni fanatycy zwróciliby się przeciwko mnie.

Nie budowałem świątyń kosztem biednych poddanych – wbrew tradycji i jemu. Ale te fałszywe proroctwa obrócą się przeciwko niemu.

Che, che! Nie ma to jak złowroga przepowiednia. Ciemny lud to kupi.

Kiedy mój eliksir zniszczenia unicestwi pałac, pomyślą, że to wyrok losu.

Król popadnie w niełaskę, a ja go zastąpię.

480

Che, che! Jestem prawdziwym czarodziejem, jeśli chodzi o karykatury.

Tak ośmieszę tego Pul-Peta, że nawet najwierniejsi wyznawcy będą się śmiać.

Tym razem cię mam, smarkaczu!

Ojć!

A więc te bazgroły to twoje dzieło?

Nie zbliżaj się. Przypominam, że jestem synem króla.

To nie oznacza, że unikniesz kary.

Uwaga! Zobacz!

Che, che! Nie dam się nabrać na tę sztuczkę.

Auć!

ŁUBU-DU

Hej! Nowy układ lądowania działa.

Wyszło doskonale.

Ekhem... Nasza „miękka opcja" ma chyba inne zdanie.

Hę?

Ojojoj...

Dzięki, uratowaliście mnie. Jestem Spoko-Ok, syn Hardo-Oka.

A my nazywamy się... eee... Mi-Ki i Gu-Fi.

O potężni czarodzieje, los zesłał was w samą porę.

Tak naprawdę zrobił to profesor Zapot...

...eeek!

Dlaczego uważasz nas za czarowników?

Bo zleciliście z góry i rzuciliście wyzwanie Pul-Petowi.

Czarodzieje? Z nas? Phi!

Mylisz się. Pul-Pet cię przestraszył, więc ruszyliśmy na pomoc.

Tak? No to powiedzcie, skąd przybyliście.

Stamtąd.

Stamtąd.

Przybyliśmy z różnych stron, ale byliśmy umówieni tutaj.

Aha. Dokładnie nad czarownikiem.

A właśnie, o co miał do ciebie pretensje?

O portret, który mu narysowałem.

Wygląda zupełnie jak postać z tabliczki.

A powiedz, czy istnieją inne portrety czarownika?

No pewnie. Chodźcie.

Proszę. Pul-Pet to mój ulubiony temat, ale nie jedyny.

Och!

To twoje dzieła?

Tak. Rysowanie jest moją pasją.

Niestety, nikt nie docenia moich prac. Używam nieścieralnej kredy, ale i tak rysunki mają krótki żywot.

Dlaczego?

Bo królewski malarz jest zawsze na posterunku.

Chciałbym zrobić rysunek tak wielki, że nie dałoby się go zamalować. Żeby przetrwał wiecznie.

Nie martw się. Kiedyś ci się uda.

Obawiam się, że nie. Jeśli spełni się proroctwo Pul-Peta, niedługo zostaniemy wygnani.

Jakie proroctwo?

Pul-Pet twierdzi, że pałac zniknie, ale według mnie to on knuje przeciwko mojemu ojcu.

Phi! Nawet iluzjonista nie potrafiłby zrobić czegoś takiego.

Możecie go zatrzymać?

My? No, tego...

Pewnie! Wasze czary są potężniejsze niż jego.

Tak naprawdę przybyliśmy tu...

Au!

...w interesach.

Jeśli nam pomożecie, mój tata na pewno was nagrodzi.

Wkrótce...

Witajcie w moich progach, czarodzieje. Syn opowiadał o was cuda.

Ekhem... Obawiam się, że przesadził, Wasza Wysokość. Nie jesteśmy prawdziwymi magami.

BIP BIP BIP

Co się dzieje?

A, nic. To tylko...

...bransoletka z dzwonkiem. Handlujemy między innymi takim towarem.

Auć!

Widzisz? Magia! Musimy ich przekonać, żeby nam pomogli.

Gościć was to dla nas zaszczyt.

Jutro porozmawiamy o interesach. Teraz chodźmy na kolację.

Całe szczęście. Burczy mi w brzuchu.

Dobrze, że ich śledziłem. Nie mogą popsuć mi szyków.

Tego wieczora w pałacu...

Goofy, obudź się.

Hę? Co jest?

Obudził mnie jakiś hałas i zobaczyłem, jak czarownik idzie korytarzem.

Może cierpi na bezsenność. Poszedł coś przekąsić.

Coś ty? To nie jest jego dom. Na pewno coś knuje.

Udało się. Śledzą mnie. Che, che! Czeka ich niemiła niespodzianka.

Pst! Nie może nas zauważyć.

Co on robi?

Hmm... Polewa posąg króla jakąś cieczą.

Może chce go wypolerować?

O tej porze?

Nie do wiary. Posąg się rozpuszcza.

Musiał użyć bardzo silnego kwasu. Należy go zatrzymać.

Ekhem... Czy to bezpieczne?

O nie! Ślepy zaułek.

Pozostaje posłużyć się fortelem.

?

Stać, bo was zniszczymy, jak posąg króla.

BACH

BACH

A zatem...

Czarownik oszukał wszystkich... oprócz mnie.

Dzielny z ciebie chłopak.

Czy to tajne przejście nas stąd wyprowadzi?

Ekhem... Niestety, nie. Ja się ledwo przecisnąłem.

Hmm... Ja może dałbym radę, ale Goofy na pewno nie. A w kamieniu nie da się kopać.

Możemy uciec tylko w jeden sposób. Trzeba polecieć.

Ojej! A jak?

Mamy kosz, wiadro słomę... Musisz przynieść nam jeszcze parę rzeczy.

„Na początek duży namiot..."

CHRRR

„...a do tego mnóstwo prześcieradeł, igłę i nić..."

„...trochę sznurów..."

„...i tyle drewna, ile znajdziesz".

Brrr! Ale zimno.

Ojej! Gdzie się podział mój namiot?

Po dwudziestu czterech godzinach szycia...

Nareszcie skończyliśmy. Uff! Puff!

Ojej! Mam dosyć szycia na długie lata.

Teraz gorące powietrze dokona cudów.

?

Mówiłem, że potężni z was czarodzieje.

Grrr! Mały znowu zaczyna.

Hura! Udało się!

Coś wspania-
łego!

Che, che!
Wszystkie dzieciaki
kochają balony.

Teraz trzeba
powstrzymać czarownika,
zanim zniszczy
zamek.

Nie pozwolimy mu
na to. Ale jest pewien
kłopot.

Trudno się do niego
dostać. Mieszka
w kamiennym labiryn-
cie na wzgórzu.

Przecież możemy
obserwować go
z góry.

Balon leci zatem w stronę wzgórza...

Hmm... Ciekawe, co robi o tej porze...

Patrzcie. Pul-Pet właśnie wchodzi do labiryntu.

Mieszka w samym środku.

Ale tam nic nie ma. Tylko jego posąg.

Che, che! Nikt nie odkryje mojego tajnego przejścia.

KLAK

Widzicie? Podłoże się otwiera.

ZGRZYT

Ta jaskinia już wkrótce będzie mi potrzebna.

Niedługo przeniosę się do wspaniałego pałacu, jak już zniszczę ten stary, ma się rozumieć. Che, che!

Tymczasem...

Muszę go dopaść, zanim wcieli w życie swoje niecne plany.

Brrr! Co za ponure miejsce.

Zrobił sobie kryjówkę w tych naturalnych jaskiniach.

Nareszcie mam brakujący składnik. Ta roślina kwitnie tylko przy pełni księżyca.

Dlatego nie było go całą noc.

Wystarczyło parę kropel eliksiru do rozpuszczenia rzeźby...

...ale przygotowałem go dosyć, żeby rozpuścić cały zamek.

Nie mam wyboru. Muszę go ogłuszyć i zabrać eliksir.

Ooojć!

Gratuluję, Goofy. Znowu trafiłeś, i to bez pomocy profesora Zapoteka.

Ajaj!

Zemdlał. Biegnijmy do jaskini. Jest tam kocioł z gotowym eliksirem.

A coś do jedzenia też jest?

Te tabliczki pokazują, w jakiej kolejności należy dodawać składniki.

Wystarczy zabrać kilka tabliczek, pomieszać pozostałe i czarownik nie zdoła już przygotować wywaru.

Hmm... Nie ma nic do jedzenia.

Chodź. Musimy to załadować na balon.

Wkrótce...

Gotowe. Teraz lecimy w jakieś odludne miejsce, żeby go spokojnie opróżnić.

Balon zbliża się po płaskowyżu Nazca...

Pokażecie mi, jak sterować tym latającym koszem?

Pewnie.

Balon musi zawsze dostawać gorące powietrze.

Jak pociągniesz za ten sznurek, skręca w prawo...

...a jak za ten... ojć!

Uważaj, Goofy!

CHLUST

Patrzcie! Ciecz wylana z balonu utworzyła rysunki na ziemi.

Tak... i to nie-usuwalne.

TSSS

Gratulacje. Prawdziwy z ciebie artysta.

Ten rysunek coś mi przypomina.

Zrobiło się późno. Musimy się pospieszyć na umówione spotkanie.

No to wracajmy. Cała naprzód.

Wtem...

Rety! Balon zajął się ogniem.

Musimy lądować awaryjnie.

AAAAAA!

BACH

GRUCH

To ma być
lądowanie?

Jesteś cały?

Ojoj! Chyba tak.
A Spoko-Ok?

Zemdlał.

Ale na szczęście
już odzyskuje
przytomność.

Pomóż mi go przenieść.
Do miasta jest
niedaleko.

Wnet...

Tutaj go
spotkaliśmy.

Tak. A teraz
mamy już
mało czasu.

Hej! Co się stało?

Spałeś.

Nie. Latałem w koszu.

No to miałeś piękny sen.

Ale byłem tam z wami. A wy mi się nie śni...

...cie.

PUF

PUF

Nareszcie jesteście. Co odkryliście?

Po pierwsze, trzeba udoskonalić to ustrojstwo od miękkich lądowań.

Z pamiętnika Donalda